この作品はフィクションです。
既存の企業、団体等の名称が登場しますが、
事実とは全く関係ありません。

ショパンの陰謀

三本松　稔

《目次》

《登場人物・団体等》

黒木　亮　（三十八歳〜）
来宮　華音　（二十一歳〜）
来宮　夏恋　（十九歳〜・華音の妹）
来宮　秋子　（華音の母）
奥村　達彦　（二十六歳・華音の恋人）
チャン・ホンファ　（中国審陽出身）
ソフィア・カテリーナ　（二十二歳・オーストリア人）
アンナ・シマノフスカ　（ポーランドＴＶ局・制作）
ワレサ・カチンスキ　（ポーランドＴＶカメラマン）
オルテス　（ピアニスト・ロシア系中国人）
アントニー・クレッツキ　（黒木の助手・日本語を学ぶ）
ズブロフスキー　（元ＫＧＢ）
カメラマン　（中原）
カメラ助手　（山下）
探偵・ヤン・クレッツキ

審査員・イワノフ教授
審査員・ゴドフスキー教授
審査員長・ヤン・シモノヴィチ
調律師・蒼井洋一（カワイの専属調律師）
MTB音楽事務所・吉村（プロデューサー）
M&T（オフィシャルスポンサー）
中国・北京・華楽公社（チャイニィP）
関東テレビ放送局
ショパン研究所（コンクール主催）
ポーランドショパン協会
ショパンコンクール事務局（事務局長）
ワルシャワ国立フィルハーモニー交響楽団
ポーランド国営TV放送局
ショパン音楽大学・研究科
ヴィジトカ姉妹教会（ショパンの鍵盤E）
ショパンの生誕地・ジェラゾヴァ・ヴォラ

《序　章》

二つの出会い（ワルシャワ・二〇〇五年）

思いがけない雨だった。

黒木は林の中に在る一軒の古いカフェに駆け込んだ。

白いカーテン越しにぼんやり外を眺めていると、雨に濡れながら駆けてくるオレンジ色のコートを着た若い女性の姿が見えた。女性はカフェに駆け込むと窓際のテーブルに座り、明るいブルーのハンカチを取り出して長い髪を拭き始めた。その女らしい仕草が、窓の白いレースのカーテンに溶けて美しく見えた。女性はしばらくの間テーブルに肘を立て、運ばれてきた白いコーヒーカップを持ったまま、雨降る外の景色を眺めていたが、おもむろに一口飲むと想い出したようにカップを置き、テーブルの上に両手を乗せて指を動かし始めた。それは黒木にもピアノを弾く仕草だと直ぐに分かった。白い指は小雨の窓外の景色を背景に踊るように美しく舞っている。見惚れていると、女性は黒木の視線に気がつき、悪戯を見つけられた少女のように、恥ずかしそうな笑みを見せて手を隠した。黒木はテーブルの上に両手を乗せてピアノを弾く真似をした。

二人は見合って軽く微笑んだ。

走り雨が止んで、黒木は金を払って外へ出た。矢張り雨が止むのを待っていたのか女性もほとんど同時だった。黒木がショパン像の方へ向かうと女性も同じ方向へ歩く。そこで初めて声を掛けた。

「素敵な演奏でしたね。とても美しい曲でした」

黒木の言葉に女性ははにかむように下を向いた。

「ショパンの『雨だれ』ですか？」

「あら、良くお分かりですね！」

「良かった、当てずっぽだったんですよ」

「まあ……もしかしたら貴方もピアニスト？」

女性は立ち止まって瞳を輝かせながら黒木を見詰めた。

「いやいや、ただの音楽ファンです」

「でも運指を見ただけで判るなんて大変なものですよ」

「なに、雨が降っていたし、ここはショパンの公園でしょう。貴女、コンクールに出られたでしょう？」

「……あら、ご存じなの？」

「見かけたことのある人だなぁ、なんて思っていました」

「二次予選までがやっと……恥ずかしいわ」

「二次までいけたなんて立派なものですよ。数百人もいる中から四六人に選ばれたんですよ」

「慰めてくれてありがとう。もっと練習して五年後にもう一度挑戦するわ」

「そうですよ。諦めないで挑戦し続けることですよ。……将来はピアニスト？」

「できればね」

「きっとなれますよ

「そう言ってもらえると嬉しい」

「諦めないことですよ。……貴女はポーランドの人？」

「いいえ、オーストリア人」

「オーストリアですか」

「お母さんがポーランド出身なの……」

「それで顔立ちが違うんだ。と言ってもぼくには、ヨーロッパの人はみな同じに見えるんですけどね。特に女性はね、みんな美人に見える」

「じゃ、わたしもその内のひとり？」

「もちろんです。いや、貴女は飛び抜けて美しい」

「まあ、無理しないで」

彼女は悪戯っぽく笑った。

「貴方は日本人でしょう？」

「え、判りますか、ヨーロッパの人には日本人も中国人も同じに見えるようですけどね。……あ、名乗っていませんでしたね、日本人の黒木亮と言います」

「クロキ、リョウ、さん。……わたしはソフィア・カテリーナ」

「ソフィア・カテリーナさん、素敵な名前だ。学生の頃外国映画に憧れていて、そんな名前の女優さんが好きで仕方がなかった」

「きっと美しい女優さんだったのね」

公園に入って直ぐのところは開放的な広場になっていて、正面にある小さな人工池の辺りには、有名なショパン像が空を突き抜けるように建っており、その奥には鬱蒼とした森が広がっている。

黒木がここを訪ねるのも三度目だ。

二人はショパン像の傍まで行き、どちらからともなくベンチに腰掛けた。

「……ワルシャワへはお仕事で？」

「そうです」

「コンクールですか？　あなたも音楽関係の方？」

「いや、テレビ番組を作るのが仕事です」

「まぁ、テレビ番組を！　素敵なお仕事ですね。それで貴方は……カメラマン？」

「いや、ディレクターです」

「ディレクター！　まあ、偉い方なんですね」

「偉くはないけど、作品をまとめるのは大変です」

「オーケストラの指揮者みたいなお仕事かしら。ピアノ弾くのとは大違いね」

「いやいや大観衆の前でピアノを弾かれる貴女よりは気は楽かも知れません」

「まぁ、そんなことはないでしょう。……ここえは初めてなんですか？」

「何度か来ているんですけど、何時も仕事なので一度も森の中を散歩したことがないんです。ずっと気になっていて……、良ければ……少し歩いてみませんか」

「いいですね。実は私もまだなんですよ」

二人はショパン像の裏の方へ回り、なだらかに下る森の散歩道へと入っていった。秋色に染まった公園の森の中は、オレンジや黄色くなった枯葉が冷たい風に乗って舞い落ちている。

「素敵ね。……ショパンのノクターンの一番が聞こえて来るみたい」

「一番ですか……」

黒木は立ち止まって高く伸びた木々の梢を見上げた。変ロ短調の甘く切ないピアノの音がはらはらと舞い落ちてくる。

「今から二百年余り前に、ショパンもこんな美しい風景を眺めながら曲の構想を練ったりしていたんでしょうね」

二人は林を縫って続く散歩道をゆっくりと下っていった。辺りは自然のまま保護された鬱蒼とした森になっている。

「……コンクールが終わるとみんな直ぐに帰国するのに、貴女はゆっくりなんですね」

「叔母がワルシャワの郊外に住んでいるんです」

「そうですか、じゃコンクールの間もそちらで」

「ええ、古いけどピアノが有りましたから。二次予選から協会が用意したホテルに移りましたけど……残ながら……でもこのまま帰りたくなくて、また叔母の家に泊まっています。……あなたはまだ日本へは帰らないのですか」

「こちらへ来てもう三週間以上になるんですけど、ショパンのことで、もう少し調べなければならないことがあって……、それで明日はショパンの生家が在る、ジェラゾヴァ・ヴォラへ行くことにしています」

「あら、私も行く予定なんですよ。落ちたお陰でたっぷり時間ができたのでね」

ソフィアは戯けるように言って笑った。

「何日ですか、明日ですか？」

「決めてはいませんでしたけど……」

「じゃ明日にしませんか。一緒に行きましょう」

「そうですね。ひとりで行くよりは心強いわ」

二人は散歩道を辿りながら、積もった落ち葉を踏みしめながら深い森の奥へと歩いた。

「あら！」

ソフィアは枝を伝って走る野生のリスを見つけると少女のように後を追った。二匹のリスが追いつ追われつで戯れている。慌ててソフィアの後を追おうとした黒木の前に大きな鳥が現れ羽を広げた。孔雀だった。こんな都会の森の中に野生の孔雀がいるとは驚きだった。孔雀は美しい羽を広げてゆったりと歩き始めた。黒木は誘われるようにその後を追ったが、深い茂みを回り込んだところではっと足を止めた。大木の根元に寄りかかるように座っている一人の若い女性の姿が見えた。え？　こんな

ところに？　あまりにも不自然だった。とその時、

「黒木さーん！」

木々の向こうでソフィアの声がした。

黒木は思い切って女性に近づきながら、

「どうしました？」と声を掛けた。

「どうかしましたか？」

更に声を掛けて近づいたが動く様子もない。不吉な予感がして覗くように回り込むと、女性の口から血が流れているのが見えた。

「黒木さーん、どこですかー？」

すぐ近くでまた声がした。ソフィアは茂みの中に突っ立っている黒木を見つけると、

「どうなさったの？」

と近づくと同時に「あーっ！」と悲鳴にも似た声をあげた。

事情聴取

黒木が初めてワルシャワを訪れたのは一九八五年の『第十一回ショパン国際ピアノコンクール』だった。この年に日本のピアノがショパンコンクールの公式ピアノとして初めて採用されたのを機会に、日本に於けるピアノの歴史を探る映画を撮るためだった。当時はまだ冷戦時代でポーランドはソ連の支配下にあり、西側の取材にたいするチェックは厳しかった。その時からすでに二十年の歳月が流れているが、今回、黒木がワルシャワへ着いて一番驚いたのは、空港から市内へ至る道筋をはじめ街全体が驚くほど明るく変貌していることだった。

五年に一度の国際的なピアノコンクールの年ともなれば、十月のワルシャワが華やぐのは当然のことだが、特にアジア系の人間が目立つ。予備選を通過し、第一次予選に残った八五名のうち約半数がアジア系であり、その関係者やツアー客などを合わせると相当な人数が滞在していることになる。

黒木たちの取材は第二次予選から始まり三次、ファイナルまでと凡そ一か月にも及び、その間、出場者の日常と演奏、審査の様子など取材対象は多岐にわたり、会期中は殆ど個人的な時間はない。TV番組の海外ロケの場合、着いた日から仕事、終わったら直ぐに帰国と言ったケースがほとんどで、個人的に見たいところがあってもそうはいかない。

ところが今回は違った。

コンクールが終わり、帰国という時になって東京の制作会社から電話が入った。次回の二〇一〇年が『ショパンの生誕二百年』に当たるため特別番組を企画したいから、ショパンについてもっと調査してくれということだった。

急遽、黒木は一人残ることになり、これ幸いにと二日間を休暇に当て、一日目はホテルでのんびり休養を取り、二日目は前から気になっていたワジェンキ公園の森の中を散策することにしたのだった。


ワルシャワ警察は死体がパスポートを持っていたことから、日本人の来宮華音（二十一歳）であると発表した。来宮華音がコンクールの出場者で、ファイナルの演奏中にピアノ事故にあい卒倒、再演奏が認められたにもかかわらず姿を現さず、発見された時には多量の睡眠薬を飲んでいたことなどから自殺と判断されたのだった。

黒木は、第一発見者であり、しかもコンクール取材の過程で華音と何度も接触していたことから厳しく事情聴取を受けたが、現場の状況から単なる発見者に過ぎないことが明確になり、すぐに解放された。当然ソフィアも事情聴取を受けたはずだが一緒ではなく、結局ショパンの生家巡りの約束も果たせないままに終わった。

訃報を受けた来宮華音の家族がワルシャワまで飛んできた。

まだ若い母親の来宮秋子と妹の夏恋とが一緒だった。家族は遺体がパスポートを持っていたことと覚えのある衣服を着用していたこと、血の気が引いた顔はやつれて多少小顔に感じられたが、右耳の裏と左胸の奥に二つ並んだ小さな黒子があったことから、華音に間違いないと判断した。

黒木は第一発見者であり日本人であったことから遺族に引き合わされた。

病院の霊安室から外へ出ると、夏恋は憔悴した顔で黒木を見詰めて口を開いた。

「貴方と姉はどんな間柄ですか」

「単なる行きずりです。私が公園を散歩していて偶然に発見したんです」

「そのことは聞いています。それだけですか」

「といいますと」

「何か他に関係はなかったのですか」

「私たちはコンクールの取材で来ていますから、華音さんには何度か近くで会い、インタビューもしています。ですがそれ以外で私たちが個人的に会ったりすることはありません」

「お仕事の時だけですか」

「ええ、コンクールの間は出場者はみんな自分の演奏のことでピリピリしていますし、私たちも取材で忙しいですから」

「でも姉を見つけてくれたのでしょう」

「それはコンクールが終わって、たまたま出かけた公園で偶然に出逢ってしまっただけのことです」

「……その時は貴方ひとりだったのですか」

「いいえ、……ある女性と二人でした」

「ある女性って、その女性と貴方はどんな関係なんですか」

「夏恋ちゃん、おやめなさい！……すみませんね」

母親の秋子が慌ててたしなめる。

「……他のスタッフの方はご一緒じゃなかったのですか」

「スタッフは取材が終わると直ぐに帰国しました」

「貴方だけ残ったのは何故ですか？　一緒に帰らなくても良かったのですか？」

夏恋は納得いかない顔で次々に質問を浴びせた。まるで警察に尋問を受けているようで、黒木がたじたじとなるほどだった。

「夏恋ちゃん、これ以上ご迷惑をお掛けしないで。日本の方に見つけて頂いただけでも華音はホッとしたことと思います。見ず知らずの方なのに本当にありがとうございました」

秋子は夏恋の追求を遮るように言って深く頭を下げた。

ビデオに写っていた男

黒木は帰国してから番組の仕上げに忙殺されていた。

ワルシャワでの数日の居残りがスケジュールを圧迫していた。お陰で徹夜作業が続いたが、番組『ショパンコンクール～熱き挑戦者たち～』は正月明けの日曜日、無事に放送された。

ほっとしていたところへ、来宮秋子の名前で一通の手紙が届いた。「ゆっくりお話をお伺いしたいので、勝手ですがお時間を見て拙宅へお越し頂けませんでしょうか」というシンプルなものだった。ワルシャワでの思わぬ縁にすぎなかったが、断るわけにもいかず一月末になって成城を訪ねることにした。

初めてなので余分の時間を取っていたが、邸宅は直ぐに見つかった。木々に囲まれた洋風の二階建ての洒落た家でピアノの音が洩れていた。曲は聞き覚えのあるショパンの『ノクターン第一番変ロ短調』だ。

黒木はふとワルシャワのワジェンキ公園を想い出した。ソフィアが言ったことだったが、あの時もこの曲が頭の中で鳴っていた。そして来宮華音を発見した。

門柱の呼び鈴を押すと、ピアノの音が止んで「はーい！」と明るい声がして、ワルシャワで一度だけ会ったことのある夏恋が顔を出した。

「いらっしゃいませ。正確なんですね。まるで電車のよう」

「あ、いや」

黒木は曖昧な返事をして案内されるまま玄関を入った。

「お母さん、お客様がおみえよ！　さあどうぞ」

夏恋はまるで旧知の間柄のように明るく振る舞った。

直ぐに母親の秋子が出て、

「ようこそお出で下さいました。お忙しいでしょうに勝手な事を言って申し訳ありませんでした。その節はいろいろとお世話になりました。さ、こちらにお座りになって。……先日ショパンコンクールの番組を拝見しましたのよ。とても素晴らしい作品でした。私たちには辛い思い出ですけれど、演奏する華音の姿も見られましたし、ピアノにかける若い人たちの苦労と情熱が溢れていて、とても感動しました。もし華音が生きていたら……いろいろと思いめぐらして何度も涙が流れました」

と一気に話しかけてくる。

「わたし、合格発表の会場でお姉ちゃんと達彦さんを見つけたんです」

「達彦さん？」

「すみません、お姉ちゃんが付き合っていた人のことです」

夏恋の言葉に秋子は黙ったまま俯いた。

「ちらっと写っただけだったので、あまり自信はないんですけど、確かに達彦さんらしい人がいたんです」

「そんなことないでしょうって私は言ったんですけど……放送は終わったし、もう確かめようもありませんのでね」

「番組ならコピーして差し上げましょうか」

「え、本当ですか！　そんなこと出来るのですか」

「是非お願いします！」

夏恋と秋子の弾むような声が重なった。

「他に編集前の撮影テープも沢山ありますから、ご覧になれば、華音さんが写っているカットもまだ見つかるかも知れません」

「そんなのもあるのですか！」と秋子が驚く。

「私たちが観ることも出来るんですか！」

「出来ないことはありません」

「本当に！　じゃテレビ局へ行けばいいんですか？」

「テレビ局で、という訳にはいかないので……お持ちしますよ」

「え、お家へ？」

「編集用にコピーしたものが、まだ私の手元にありますから」

「それは嬉しいわ。ぜひ、ぜひお願いします」

二人の喜びようは大変なものだった。

家族試写会（第二次予選の記録）

黒木がテープとプレイヤーを持って成城を訪ねたのは二月も後半に入ってからだった。気にはなっていたが、新しい番組取材の準備で忙しくやむを得なかった。

黒木はお茶を頂くと直ぐにテープを掛けた。

「私たちが取材を始めたのは二次予選からなので、一次予選についてはポーランドテレビの記録を見るしかありません。……じゃ回しますが何時間分もありますから、番組でご覧になっている部分はどんどん飛ばしますがよろしいですか」

「ええ、お願いします」

「気になるところがあったら止めますから遠慮なく仰ってください」

画面にワルシャワの風景が映し出されると、黒木は簡単な説明を加えながら進める。秋子と夏恋は食い入るように見詰めた。


黒木たちがワルシャワへ着いたのは第二次予選が始まる前日だった。つまり一次予選の結果発表で華音の合格が決まった日である。その日は、先行していたプロデューサーや現地スタッフとの打ち合わせで、情報を得ることに費やしたため、実際にカメラを回し始めたのは第二次予選の第一日目からだった。この時点で残っている出場者は四六人。日本人が七名も含まれており、その中に来宮華音の名前もあった訳だが、誰に的を絞って取材していくべきか、黒木はまだ迷っていた。

初日は早めにホテルを出ると、まずワルシャワ・フィルハーモニーホールの外観からカメラを回すことにした。

ワルシャワフィルハーモニー・ホールは道路に面してアーチ状の高い窓が並び、二階に当たる部分に石柱が六本が並んでいる。今から約百年以上も前（一九〇一年創設）に建てられた歴史ある建物だが、石柱が目に付く程度で、それほど特徴のある建物とは言い難い。

ひと通り外観を撮り終えると、カメラを回しながら正面玄関から入っていくことにした。マスコミの取材にはいろいろと制限がつけられているが、黒木たちは写真入りの名札を首に掛けていることで建物には自由に出入りできる特別の許可が与えられていた。これも日本企業がメインオフィシャルスポンサーとして多額の支援をしているからである。

アーチ状の玄関を入ると白い石造りのエントランスホールが広がり右側にクローク、更に十数段の階段を上がると広いロビーに出る。続いて開放されている重い扉をくぐって客席へ入っていく。まだ二次予選なのに客席はほとんど満席。ホール正面ステージにパイプオルガンがあり、大きなパネル張りのショパン像が飾られている。色とりどりの花で縁取られたステージ中央にグランドピアノが一台、これから繰り広げられる四六人の熱演を待っている。

カメラはステージまで進み、振り返って一階二階三階の客席の様子を捉える。二階のバルコニー席の一番前列と二列目が二十人の審査員席になっているのだ。

ショパンコンクールは第一回（一九二七年）からこの会場で開かれており、これまで世界的なピアニストを数多く送り出している。

ＭＣの案内が始まり、客灯が落ちだしたので黒木たちは急いでホールから通路へ出た。審査風景はポーランド国営TV局が独占的に中継録画することになっているからだ。

「おい、楽屋へ廻るぞ。ステージに上がる前の出場者の緊張ぶりを狙うんだ。インタビューもやるからアントニーは常に僕の傍にいろ」

「はい」

アントニーとはポーランドTV局のスタッフで、日本語が多少話せるということで黒木の助手として付いている若者だ。

「誰が誰だか分かりますか」カメラマンの中原が不安そうに言う。

「調べてある。俺の方で合図する」

黒木は先に立って、ホール左側の奥扉を押して楽屋通路へ入っていった。ステージへの登壇口の前で一番手であるロシアのエフゲニー・サハロフが手をぶらぶらと振りながら行ったり来たりしている。間もなくMCの声がしてサハロフはロボットのように硬直したままステージへ上がっていった。

まだ四十分は後だというのに中国のリン・チャオヤンが控え室から出て来た。母親らしき女性が駆け寄って服装を正し、顔を拭いたり肩を揉んだりとかいがいしい。側でじっと見守っているのは父親だろう。サハロフは一人だったのに家族総出というのは滑稽にさえ見える。中原はそんな楽屋の緊張した様子を記録し続ける。


ピアノの音が止んで、ホールに拍手が起きた。

「おい、終わったぞ」

中原が急いでステージの出入り口にカメラを向ける。サハロフが厳しい表情で下りてきた。すかさず黒木がマイクを持って近づく。

「満足のいく演奏ができましたか？」

「いやー、もう緊張しっぱなしでした。エチュードでちょっと崩れてしまい、リズムを取り戻すのに焦りました」

「でも、三曲目のノクターンは素晴らしい演奏だったように思いましたが」

「そうですね。気持ちは乗っていました。一次よりは良かったと思います」

「それは良かったですね。では、三次予選が楽しみですね」

「そうなると良いですが……頑張ります」

彼がほっとした表情で去ると、直ぐに紹介のアナウンスが聞こえてきた。

「エントリーナンバー二十六、リン・チャオヤン、中国。使用ピアノ、チャイニィP」

リンは母親を振り返ると蒼白な顔でステージへ上っていった。

リン・チャオヤンの演奏が終わる頃になって、やっと華音が控え室から出てきた。

ビデオに見入っていた夏恋が、

「あ、お母さん、華音ちゃんよ！」

と我を忘れて、いつも呼んでいるちゃん付けで名前を叫んだ。秋子は声もなく、画面に食い入る目にはもう涙が滲んでいる。

長い髪にノースリーブの黒いロングドレス、すらりと伸びた白い腕が印象的だ。華音はステージへの扉の前に立つと、静かに目を閉じ瞑想するように下を向いた。そしてゆっくり視線を上げると狙っている黒木たちのカメラに気づいて微かな笑みを見せた。アントニーは、それが『モナリザ』の微笑みに似て神秘的でとても美しいと言う。

拍手に送られてリン・チャオヤンがステージから下りてきた。

「どうでしたか。納得いく演奏が出来ましたか？」

まだ震えが収まらないように両手の指を揉みながら、

「いやー駄目です。上がってしまって……」

「やはり緊張されましたか」

「……指が固まってしまって何がなんだか分からないうちに終わってしまいました」

「採点されると何点？」

「……五十点……」

次の質問を遮るように母親が割り込んでリン・チャオヤンを連れて行く。

楽屋にＭＣの声が洩れてくる。

「エントリーナンバー三五、カノン・キノミヤ、ジャパン。使用ピアノ、カワイ」

「いよいよ華音ちゃんの演奏ね。ドキドキするわ」

夏恋が前のめりになって画面を見詰める。

「あなたが演奏する訳じゃないんだから」

と秋子は小さく笑いながらも次第に神妙な表情になって画面を見詰める。

「華音ちゃん、がんばって！」

黒木は、思わず声をかける夏恋が微笑ましかったが、同時に二人の心中を想うと心が痛んだ。どんなに逢いたくても、もう彼女はこの世にはいないのだ。

華音はステージへの扉の前に立つと微動だにせず、じっと目を閉じている。

落ち着いて見えた。

女性スタッフが扉を開けると華音はゆっくりと狭い階段を上がっていった。

テープはここで終わった。

「我々の撮影はここまでなんです」

「え？　じゃこの後は観れないということ？」

「残念ですがそうです。会場内の様子はポーランドＴＶしか撮っていませんので」

「え！　重要な演奏がないなんて、それじゃ番組は作れないじゃないですか」

「それは心配ないんです。必要な演奏シーンはどこの国でも自由に使用できるようになっていますから」

黒木は笑って答えながら二人にかまわず次のテープを掛けた。

華音はおもむろに課題曲の『エチュード作品10ー7』を弾き始めた。まるで歌うように軽く体を揺らしながら……自分の音の世界に酔っているようだった。続いて『バラード第4番』、そして『ノクターン第二十番嬰ハ短調』と続けていく。アントニーが黒木のそばに来て一緒にモニターを覗く。

「アントニー、来宮華音はどうだ？」

「はい、白くて細い指は、まるで鍵盤の上に舞うバレリーナのようです。モナリザが現れて弾いているようで……僕の永遠のマドンナです」

「永遠のマドンナか……。そうだね、美しい」

黒木も見とれながら相槌を打った。

演奏が終わりホールを揺るがす拍手が沸き起こった。それは怒濤のように楽屋通路まであふれだしてくる。

「おい、出てくるぞ。彼女をしっかり抑えろ！　インタビューもやる！」

華音は一旦扉から出て来たが鳴りやまない拍手に、スタッフに促されてまた階段を上がっていった。

また拍手がわき上がった。

下りてきた華音はさすがに頬が紅潮していた。黒木はマイクを向けた。

「大変な拍手ですね。本当に素晴らしい演奏でした。今のお気持ちは？」

「いつも通りに気持ちよく演奏出来たと思います」

「それは素晴らしいですね。こんなビッグなコンクールで平常心を保つのは簡単ではないと思いますが、普段心がけていられることがありますか？」

「？……、特にありません」

「世界中から優秀な挑戦者が集まっているんですが、気になる人はいますか？」

「……いません。演奏は他の人と競うものではありませんから、自分のベストをつくすだけです」

「いや、つまらぬことを訊きました。いよいよ三次予選ですね」

「さぁ、それは判りません」

「大丈夫ですよ、先ほどの拍手はその証ですよ」

「……」華音は黙って微笑んだ。

「お願いがあるんですが、あなたの日常を撮らせて頂けませんか」

「え、どういうことですか？」

「あなたが演奏に備えて努力されている姿を撮らせてもらいたいんです」

「演奏以外のことをですか？」

「そうです。練習風景とか、演奏以外にどんな事をなさっているのか、ありのままのあなたの姿に密着させて頂きたいんです」

「わたしは、そんなカメラに撮られるほど特別なことは何もしていません」

「それでいいんです。決してコンクールの邪魔になるようなことは一切いたしませんので、お願いします」

「……最後まで残れるかどうかも分かりませんし……」

「いや、そんなことはありませんよ。ぜひ撮らせてください」

「わたし、本当にそう言うことは駄目なんです。ごめんなさい」

華音は逃げるように控え室へ入っていった。


「なんだ、華音ちゃん断ったの。撮ってもらえば良かったのに」

そこで黒木は一旦テープを止めて交換しながら、

「非常に残念でした。あまり強要して演奏に悪い影響を与えてはと思ったので諦めました。今になって考えると、もう一押しして無理にでも撮らせてもらえば良かったと思います」

「本当にね、……お疲れになったでしょう。少しお休みなさってください。コーヒーでも淹れましょうか」

秋子は立ちがるとリビングの奥へ行きコーヒーを淹れて戻ってきた。

「黒木さんには申し訳なかったんですけど、華音はもともと表立ったことは余り好きではないんです。それに一度決めると簡単には変えない子でしたから……ご免なさいね」

「とても穏やかで優しい人に見えましたけど芯は強い人だったんですね」

秋子はいろいろと想い出すのか、うっすらと涙さえ浮かべている。

「さ、時間もありませんし次をかけましょうか。……これは……二次予選発表の日の分です」

画面はブルーの光で美しくライトアップされたホールの外観を映し出し、集まる群衆をかき分けながらエントランスホールから発表会場へと進んでいく。すでに数台のビデオカメラが並んでいる。中国のツオン・リーや韓国のパク・ヒョンジェ、ポーランドのカルロス・パデレフスキなどの姿が見える。カメラは更に移動しながら群衆を捉えていく。

「お母さん、華音ちゃんよ！」

夏恋の声に秋子が覗き込む。柱の陰に華音が立っている。

「ほら、左肩にピンクのポシェット」

「そうそう……、そう、間違いないわね」

黒木たちは結果発表用のスタンドマイクと群衆との間に割り込んだ。

急に群衆がざわめきはじめ、中原がカメラを螺旋階段の方へ振る。

画面を見詰めていた夏恋が「止めて下さい！」と叫んだ。

「ほらやっぱり達彦さん！」

「え？　どこ？……」

「ほら、この人！」

夏恋が奥の柱の陰に立っている少しボケた一人を指さす。

「そう？……」

「似ているでしょう、ほら」

秋子は目を凝らすが飽くまでも懐疑的だ。

「そうかしら？……あの人、行けるはずないでしょう。それに華音が亡くなった時、ワルシャワへは行ったことがない、って言っていなかった」

「でも……」

二人とも腑に落ちない表情で黙り込んだ。

「先へ進めますがよろしいですか？」

まだ三次予選とファイナルが残っている。

気が付くとすでに夕方になっていた。黒木は編集の際に飽きるほど見ているので、いちいち二人の疑問に付き合っているのは苦痛になっていた。

「テープは置いておきましょう。後で返していただければ良いですから、何度でもごらんになって下さい」

夕食を一緒にと懇願されたが、また近々に伺うことを約束して外へ出た。

夏恋が駅まで送ると言って追いかけてきた。閑静な住宅地は既に薄暮が辺りを被い始め、冷え込んでいる。

「長い時間付き合って頂いてごめんなさい」

「もっとゆっくり出来れば良かったんですけどね」

「いいえ、ああやってビデオを見ていると、つい華音ちゃんがまだ生きている気がして……」

「無理ないですよ。私だって同じ気持ちです」

「何度でも見たいし、気になることもいっぱいあって……」

「……達彦さんって言う人のことですか」

「ええまぁ、……お母さんは達彦さんの話になると避けたがるんです」

「どうしてですか？」

「華音ちゃんと達彦さんは結婚の約束をしていたんです」

「え、そうなんですか。じゃ華音さんが亡くなって、達彦さんは大変なショックを受けられたんじゃないですか」

「それが……よく分からないんです」

「どういうことですか」

「パリに行っているらしくて……」

「へー、お仕事で？」

「お仕事と言えるのかどうか……絵描きなんです」

「画家ですか。どんな絵を描かれるんですか？」

「一度、華音ちゃんに美術展に連れて行かれたことがあるんですけど……、ほとんどが建物の絵で……それも窓とか汚れた扉とか……色使いも黒が多くて暗いものばかり、しかも柱や窓も歪んでいるんですよ。素敵なパリの街がどうしてあんなに暗く歪んで見えるのかわたしには全く理解できません」

言い方が可笑しくて黒木は笑った。

「芸術家の目というのはそんなものじゃないですか。まともに見えて、まともに描いてたんじゃ画家とは言えないかも知れない」

「そうかしら。陰気で気味が悪い」

「気味が悪いとは酷いですね」

「だってそうですもの、好きになれない」

「それは困りましたね、お姉さんの恋人じゃないですか」

「恋人だなんて……達彦さんに追いつめられていたんです。華音ちゃんはまだ二十一歳ですよ。二人が結婚するなんて、お母さんは大反対でした」

「どうして？　まだ若いからですか」

「絵描きって生活力ないでしょう、ちゃんと仕事をしている人じゃないと駄目だって」

「音楽家だって似たようなもんじゃないですか。……華音さん自身の気持ちはどうだったんですか、好きでなけりゃ結婚までは考えないでしょう」

「華音ちゃんは温和しいから押しの強い人には弱いんですよ。強引だから達彦さんは……、お母さんは達彦さんのそんなところが嫌いで、結婚するなら勘当する、とまで言っていたわ」

「そんなにお嫌いだったんですか……」

「だから華音ちゃんは二人の間で苦しんでいた。ただ達彦さんは音楽に関しては理解があったから、華音ちゃんにはそこんところが良かったのね。何せ箱入り娘で小さい頃からピアノピアノで育ったでしょう。無菌状態で育ったから世間のことはまったく知らない。まあ最初に出逢った人に運が悪かったのね」

「ずいぶん厳しいですね」

黒木は娘のことを語る母親のような口振りが可笑しかった。

「ショパンコンクールに出るのを奨めたのも達彦さんなんです」

「本人の意志じゃなかったんですか」

「音楽大学出てもピアニストとして通用するわけではないし、せいぜい小中学校の音楽の先生止まりでしょう。ただ華音ちゃんは私と違って音楽大学のピアノ科では一、二を争う存在だったからピアノの先生も喜んで推薦したみたい」

「そりゃそうでしょう、ファイナルに残ったくらいなんだから。……お母さんは華音さんのコンクール出場についてはどう思っていらっしゃったんですか」

「お母さんは華音ちゃんには理解があったし、若い内にしか出来ないことだから、せいぜい楽しんでいらっしゃいって言っていたくらい」

「出場するからには入賞を目指すのは当然としても……、聞いた感じでは、落ちたからって死ぬほどのショックを受けたなんて思えないけどなぁ」

「そうなんです。わたしは絶対に自殺なんかじゃないって思っています」

夏恋は語気を強めて言い放った。

「何か、根拠でもあるんですか」

「……達彦さんが何かを知っていると想うんです」

「どうしてですか？」

「達彦さんは……と言うより、達彦さんのお家と私の家とは深い関係があるんです」

「どんな？」

「借金です」

「借金？　達彦さんが借りていると言うことですか？」

「というか……達彦さんのお父さんにですけど」

「……」

話している内に二人は駅へ着いた。

「わざわざありがとう。あとの話は、またお逢いした時にでも聞きましょう」

黒木の脳裏に達彦への疑惑がちょっとだけかすめて消えた。

車窓を流れる街の明かりを眺めながら、何か謎めいた深い霧の中へ誘導されていくような気がした。

男の告白

黒木は三月の頭から一週間のスペインロケが入っていた。テレビ局で最終打ち合わせをしているところへ夏恋から電話が入った。ビデオテープを返したいので逢って欲しいという。テープのことなら局の方が都合がよいので、コーヒーラウンジで逢うことにした。

夏恋は一人の男性を伴っていた。

「お忙しいのに無理を言ってごめんなさい」

夏恋が申し訳なさそうに頭を下げる。

「奥村達彦です。はじめまして」

夏恋の話から何となく陰気な人物を想像していたが、無精ひげにジャンパーを着込んだラフな身なりだが意外にも温厚な人物に見えた。

「黒木です。二人おそろいで、どうなさったんですか」

椅子を勧めながらさり気なく訊いた。

「ビデオテープの件で二人で話をしたんです」

夏恋は直ぐに要点を切り出した。

「ああ、あの会場で写っていた件ですね。で、はっきりしたんですか」

「写っていたんなら多分僕でしょう。行っていましたから」

達彦はあっさりと認めた。

「じゃ、夏恋さんの疑問は解けたんですね」

「ええ、まあ……」

頷きながら夏恋はまだ釈然としないようだった。

「僕が何か隠しているんじゃないかと責められたもんで、この際はっきりしといたほうが良いかなと思ったんで」

「責めてなんかいません。私は本当のことが知りたいだけなの！」

夏恋は睨むように達彦を見る。黒木は夏恋の感情を抑えるように、

「映っているのは自分だと認められたんだから、それでいいんじゃないですか」

「……僕かどうかということじゃなくて、一緒にいたのになぜ華音が自殺したかと……」

達彦は面倒くさそうに夏恋の言いたいことを切り出した。知りたいのは黒木も同じだ。

「で、どうなんですか？……」

「実はその頃、僕はパリに居りまして……」

「パリですか」黒木は思わずのりだしていた。

「ええ、美術学校時代の先輩で、親しくしているパリ在住の画家がいたもんで……、前々からパリで絵の勉強をしたいと相談していたんだけど……、じゃ兎に角来てみないかと誘われて……」

達彦は言葉を探すようにとつとつと話す。

「パリはいいですよね。僕も何度か行っていますが、お気持ちはよく分かります」

「行きたくてもそう簡単に行けるところではないですからね、随分考えたんですが、思い切って出かけました。前にも一度行ってはいたんですが、……やっぱりパリは素晴らしいです。美術館も多いし、何処を見ても描きたい風景ばかりで、兎に角小さい頃から憧れの街でしたから興奮のしっぱなしでした」

達彦は急に生き生きした表情になった。

「分かります。僕は絵描きじゃないですがパリは本当に素敵な街ですからね。画家がパリを目指すのがよく分かります。……それで……華音さんとはワルシャワで逢われたんですか？」

達彦は夏恋を見やってから意外なことを口にした。

「実は、華音がパリへやってきたんです」

「え！　そうだったの！」

夏恋はひどく驚いたようだった。

「変ねぇ、華音ちゃんはウイーン経由のＫＬＭオランダ航空だったはずよ」

「本当のことを言うと……、僕たちはパリで落ち合うことにしていたんです」

「騙したのね！　達彦さんがパリにいることすら、私たちは知らなかったのに」

「隠したくはなかったんだけど、お母さんには知られたくなかったんです。もの凄く反対されていましたから」

「じゃ、パリから二人一緒にワルシャワへ行かれたんですか」

「いや、僕は後からです。モンパルナスにある美術研究所に通っていたんでそうはいかなくて……」

「それで、二次予選の結果発表に合わせてワルシャワで逢われたというわけですか」

「まあそういうことです」

「じゃ、ワルシャワでは同じホテルに泊まっていたのね？」

夏恋が厳しい表情で詰め寄る。

「いや、僕は別のホテルだった」

「うそ！」

「嘘じゃないよ。予選を通過した者には主催者側が用意したホテルが無料で提供されているとかで、彼女はそちらに宿泊していた。僕も同じホテルにしたかったんだけど、そのホテルは出場者専用みたいになっていて、満杯で一緒にという訳にはいかなかったんだ」

黒木たちスタッフも華音と同じホテルになっていたから、達彦が言っていることに間違いはなかった。

「じゃ何処に泊まったのよ？」

「コンクールの間は何処もいっぱいで、仕方がないから僕は街はずれの小さなホテルに泊まることにした」

「でも常に一緒だったんでしょう」

夏恋はどうしても棘のある訊き方をする。

「そうはいかないよ。……彼女は練習もあったし、気を散らしてもよくないと思っていたから……、勿論、彼女の二次予選が終わった後、初めて二人で新世界通りのレストランで食事をしたり、ゆっくりお茶を飲んだりはしたけどね」

「その時、華音さんの様子はどうだったんですか？」

「演奏が終わってほっとしたのかリラックスしていたなぁ。演奏も上手くいったようで、ファイナルまで残ったりしたらどうしよう、なんて戯けていたくらいです」

「で、その後、二次予選の結果発表会場へいらっしゃったと」

「ええ、発表が夜でしたからね、ゆっくり散歩しながら一緒に会場へ行きました」

「それで、写っていたのが例のビデオですか」

「でしょうね。僕は見ていないですが」

「合格発表で華音さんの名前が呼ばれたときはどうでした」

「それはもう抱き合って喜びましたよ。本人は三次予選まで進めるとは思ってもいなかったようで、嬉しさと同時に、どうしようって感じでした」

「僕たちは発表の瞬間を捉えようと構えていたんですが、ごったがえしていて、なかなか華音さんの姿が見つからなくて慌てました。もちろん、その時は奥村さんのことは全く知らなかった訳ですけどね」

「その後はどうしたんですか？」

夏恋が待ちきれないように訊いた。

「散々待たされて発表が終わったのは深夜近くだったんで……彼女をホテルまで送って僕は自分のホテルへ帰りました」

「……」

夏恋は疑いの目で達彦を見た。

「結局、三次予選、本選まで残ることになった訳でしたが……」

「いやもう驚きの方が先で……、本当です。嬉しいと言うより、さすがに華音も慌てていました」

「そりゃそうでしょう、ファイナルはオーケストラとの競演ですからね。ソロでいくら弾き慣れていても大変ですよ」

「僕だってパリへ戻らなければならなかったし、正直戸惑いました。いろいろと……経済的なこともありましたし……」

「でも、結局はファイナルまで居たんでしょう」

夏恋のきつい言葉に、達彦は黙り込んでしまった。

「僕たちも三次への進出を知って、ますます華音さんを追いかけたくなったんですが、なかなか情報が掴めませんでした」

「……ピアノメーカーが熱心で、練習場所を提供したり何かと面倒を見てくれていたようだったんで、練習の邪魔になってはと、僕の方から声を掛けるのは控えていました」

「でも、ショパンの命日には夜のミサに行っていましたよね」

「それは……華音が聖十字架教会のミサだけはどうしても行きたいと言ったので……出かけました」

「その日、僕たちは後方のパイプオルガンのあるバルコニーから俯瞰で撮影していました。群衆の中に華音さんの姿を見つけたんですが、隣の男性が奥村さんだったんですね」

「そういうことになりますね」

「それからどうしたの？」

夏恋がまた棘のある声で訊いた。

「翌日からファイナルで、華音は初日の午前中だったんで食事をしてすぐにホテルへ送った」

「ファイナルの当日は逢われなかったんですか」黒木が訊いた。

「約束していました。当日の朝、僕がホテルに迎えに行ったときには既に居なかったんです。オーケストラとの競演なんで、これまでのようにはいかないって言っていたし、きっと朝から練習に出かけたんじゃないかと思いました」

「何か気になることはなかったんですか？」

「結局連絡も取れずじまいで……、彼女の演奏時間になって会場へ行ったんですが、チケットがとれていなかったんで、中継のテレビを見ているしかありませんでした」

「華音さんが倒れた時は驚かれたでしょう」

「もちろんです。何が起きたのか理解できず、一瞬混乱しました。中には入れないので、慌てましたがどうすることも出来なくてうろうろするだけでした」

「我々もカメラを持って楽屋へ駆けつけたんですが、記者たちでごった返していて近づくことが出来なかったですからね」

「受付らしい女性を捕まえて訊いたりしたけど、取り合ってくれなかったです」

「再演奏が認められていたのに、華音さんは現れませんでした。その間あなたは逢っていないんですね」

「ええ。もちろん再演奏の日も行きましたが……、結局行方不明のままで」

「探さなかったの？」

夏恋がまたきつく迫った。

「探したよ！　僕と約束もしていたし、ホテルにも何度も電話したけど帰っていなかった」

「二次予選の頃から、華音さんはファイナルに残る有力候補のひとりでしたからね、我々も注目していましたが、確かにピアノ事故以降、カメラは華音さんの姿を捉えていません」

「随分探したんだけどなんの手がかりもなくて……、発表の日、深夜になっていましたがホテルにも行ったんですが、すでに引き上げて荷物も残っていないと」

「え、本当ですか！　我々も手をつくして探していましたが、そこまでは知りませんでした」

「……結局探しようがなくなって途方に暮れました」

「なぜ警察に届けなかったの？　もっと手の打ちようがあったんじゃない！」

「ただ居なくなっただけで警察に届けられると思っているの！　僕だって何度も警察へ届けようかと

悩んだよ。でもひょっとしたらショックのあまり日本へ帰ってしまったんではないか、とも思ったんだ」

「あなたに黙って帰るわけないでしょう！　私にはそんなこと信じられません！　少なくとも達彦さんは華音ちゃんに一番近いところにいたんだから、知らないでは済まされないわ」

「なぜ来宮家に連絡されなかったんですか？」

黒木は事情を知っているだけにやんわりと訊いた。

「そうよ！直ぐにでも報せるべきでしょ！」

「それは、……僕が一緒だということだけは絶対にお母さんには知られたくなかったんで」

「何を言っているの！そんな場合じゃないでしょう！　倒れたり、行方不明になったり、大変なことが起きたんじゃない！」

次第に興奮してくる二人を黒木はなだめるように手で制した。達彦が最善を尽くしたかどうかは疑わしいが、どう対応すべきだったか黒木にも答えは難しい。

「華音さんの死体が見つかった時、あなたはどこにいらしたんですか？」

「パリに戻っていました。……すべて後で知ったことで、まさかそんなことになっているとは思ってもいなかったし、元々無理をしてワルシャワへ行っていたんで……」

「パリでもニュースにもなったんじゃないですか」

「さあ、気がつきませんでした」

「ワルシャワ警察は、ファイナルに落ちたショックからの自殺と断定した訳ですが、それを知ってどう思われましたか?」

「信じられなかったけど……警察が判断したのなら……そういうこともあり得るのかって」

「私は信じない! ファイナルに落ちたことくらいで華音ちゃんが自殺なんかするものですか! きっと何かあったのよ!」

「僕だって信じたくないよ! だけど警察が判断したことに僕が違うとは言えないだろ! 人間なら予期せぬ出来事に動転して自分を失ってしまうことだってある!」

「華音ちゃんは死んでしまったのよ! あなたが側に居たのに何も知らないなんて、あなたなんて信じられない!」

黒木はワジェンキ公園の森の中で発見した時の華音の青白い顔を想い出していた。

そこへ撮影助手の山下がそっと近づいてきた。

「まだかかりますか。カメラマンの中原さんが後があるそうなんです。それにプロデューサーの吉村さんも見えましたので」

夏恋は黒木の力を借りて、達彦から何か引き出したかったようだが、そう簡単に答えが見つかるような話ではなかった。

《第一楽章》

ワルシャワ行・再会（二〇〇六年四月）

黒木亮と来宮夏恋はルフトハンザ機のビジネスクラスに並んで座っている。黒木が一週間余のスペインロケから帰国して、オンエアに間に合わせるために慌ただしく編集をすませ、録音、完成したところへ夏恋から電話があった。母の秋子が、華音が写っているビデオを出来るだけ集めて欲しい、できればワルシャワでの華音の様子についても調べてもらいたいと言っているということだった。夏恋から何度も電話を受けるうちに黒木の気持ちも動いた。達彦への疑問も完全に消えた訳ではない。費用はすべて出すということだし、ドキュメンタリー作品に繋がれば捨てた話ではない。黒木は仕事のつもりで引き受けることにした。

「なんだか新婚旅行みたいですね」

夏恋が悪戯っぽく黒木を覗きながら言う。

「なに言っているんですか、遊びじゃないんだから」

「ショパンゆかりの場所を巡りたいし、是非生家にも行ってみたい。連れて行って下さるでしょう？」

「さあ、そんな時間があるかな」

「あるわ、私たち探偵じゃないんだから、お母さんを少しでも納得させてあげればそれでいいのよ」

「ポーランド側の撮影テープは全て見せてもらえるように頼んでおいたから、新しいものが見つかるかも知れない」

「華音ちゃん、いっぱい映っていると良いけど」

「一次予選での華音さんの演奏シーンは確実にあるはずだけど、大事なのは演奏以外の姿がどれだけ記録されているかだね。兎に角、膨大なテープ量のはずだから、すべてをチェックするのは大変な作業になる」

「心配ないわ私に任しといて」

「だいじょうぶかな。直ぐ飽きるんじゃないかなぁ」

「なんだか楽しそう」

「観光旅行じゃないんだから」

黒木はわざと怖い顔を作って釘をさした。


ショパン国際空港にはポーランド国営TV放送局のアンナ・シマノフスカが迎えに来ていた。アンナは制作と渉外担当で生粋のポーランド美人だ。

「またお逢い出来たのね。とても嬉しいわ」

アンナが懐かしそうにハグをする。

「日本語、ますます上手くなりましたね」

「黒木さんに逢いたくて一生懸命勉強しました。寿司、ラーメンも大好きになったわ。ワルシャワには寿司のお店も沢山増えましたよ」

「そうでしたか。僕もこんなに早くまた逢えるなんて想ってもいなかったのでとても嬉しいです」

「わたし、来宮夏恋です。よろしく」

親密そうな二人の間に不満顔の夏恋が割って入る。

「あら、……黒木さんの恋人？」

とアンナが茶化し、黒木はニヤリと夏恋を見て応じる。

「ええ、まあ……」

「よく似ていらっしゃるわ、華音さんの妹さんね。初めまして、わたしアンナといいます、よろしくね」

夏恋は黙って軽く頭を下げた。

「ワレサとは連絡とれましたか？」

「ええとれているわ。丁度ドイツの取材から帰ったばかり」

「そう、逢いたいな。……で、ビデオテープの件大丈夫だった？」

「もちろんよ、お得意さまだから断る理由はないわ。日本の黒木さんですって言ったら簡単に許可がおりたわ。直ぐにでも見られるようにしておいたから」

「良かった。それを見たくて来たんだから。夏恋さんよかったですね」

夏恋は他人事のような顔をしてそっぽを向いた。


ワルシャワへ到着した夜、黒木と夏恋はアンナに旧市街にある古いレストランに案内された。ポーランドTV局のスタッフ数人が待っていた。

「また逢えるとは思わなかったよ。ちょっと逢わない間にまた綺麗になったな」

ワレサが夏恋を見詰めながら言うと、アンナが、

「ワレサは会ったことがあったの」

「あれ、違った？　ほらカラオケのとき……」

「あれはＡＤの彩子だろう」黒木が笑う。

「そうか！　日本の女の子はみんな美人だから、それで勘違いしたんだ」

「調子に乗らないで、似てもいないのに。ワレサは日本の女性ならみんな同じに見えるんだよ」

「馬鹿言え、美人だけだ。それで……そこの美人は黒木の恋人かい。早く紹介するもんだ」

「いや失礼。彼女は来宮夏恋さん。ほらこの前のコンクールで亡くなったピアニストがいただろう。彼女はその来宮華音の妹さんなんだ」

「え！　あの来宮華音の？」

何人かが驚きの声を上げた。

「ああ、あの事件の！　道理でどこかで見たような顔だったんだ」

「調子いいわねワレサ！　それよりまずは乾杯でしょ」

「そうだそうだ、カラオケに乾杯だ！」

黒木がワレサやアンナと知り合ったのは、『第十五回ショパン国際ピアノコンクール』（二〇〇五年）

が始まる半年前のことだった。

ビデオテープやCDの製造メーカーM&T社がショパンの『ピアノ協奏曲第一番、第二番』のカラオケDVDを制作することになった。カラオケブームにあやかってクラシックでもそれをやろうというわけである。オーケストラとの競演など、ほとんど望めない新人ピアニストにとって、それは画期的な存在となるに違いなかった。M&T社はショパンコンクールのオフィシャルスポンサーであったことから、ワルシャワフィルの協力が得られ、三日間の予定で収録することが決まった。そして制作を任されたのがMTB音楽事務所で、ちょうど『第十五回ショパン国際ピアノコンクール』の番組制作を担当することになっていた黒木が、カラオケとCMの制作まで引き受けることになったのだった。

収録機材とスタッフはポーランドTV放送局が全面協力、日本からはプロデューサーの吉村と黒木、アシスタントの彩子だけがワルシャワに入ることになった。その折、ポーランドTV側の制作兼コーディネイターとして付いたのがアンナであり、技術全般の責任者がワレサだった。

収録に当たっては、カメラ五台にクレーンカメラ一台。黒木と彩子は三日間、ホールに横付けされた狭い中継車の中にいた。

フランスから呼び寄せたピアニストによる演奏の収録は順調だったが、ピアノが抜けたカラオケ演奏となると、指揮者もオーケストラメンバーも少なからず戸惑いがみられた。それでもどうにか予定内にアップし、オーケストラメンバーとスタッフ全員が拍手しあって喜んだものだった。

テクニカルディレクターのKが懐かしそうに、

「あのカラオケ収録の台本には驚いたもんだ。カメラの切り替えまで細かく指示した台本なんて、ドラマ以外で見たことなかったんで、日本人は、なんて無駄なことをやるんだろうって、最初は呆れたけどね」

「だけど慣れるとカメラだってスイッチャーだってベストな画をチョイスできるんだから素晴らしいと思うよ。良い勉強になったよ」

「飲み込みが早い連中ばかりで、ポーランドスタッフの優秀さがよく分かったよ。三日間の短い付き合いだったけどね」

「黒木にも驚いたけど、日本のテクノロジーは本当に素晴らしい。俺たちが使っている機材はほとんど日本製だからね」

「全くだ。特にハイビジョン機材は本当に素晴らしい。最高だよ」

「そう持ち上げるなよ。その内また一緒に仕事しよう」

「そうだ、頼むよ」

「俺も、俺も」みんなが声をそろえる。

「おいおい、今日は仕事の話は止めろ。折角日本から素敵な女性が来ているんだから楽しくやろうぜ。な、夏恋こっちに来て座れよ。おい、お前はあっち」とスタッフの一人を追い出す。

「ワレサ、独り占めは許さないぞ！」

「そうだ、そうだ！」

ヤジが飛んだが夏恋は嬉しそうにワレサの隣りに移った。

「ワルシャワは初めて？」

「はい」

「そうか、じゃ俺が案内しよう」

「気をつけてね夏恋、手が早いからねワレサは」と、すかさずアンナが言葉を挟む。

「そう言えば来宮華音は素敵だったなぁ」

カメラマンの一人が酔いしれたように言った。

「演奏しているときの彼女は本当に美しかった。ピアニストはよく辛そうな顔をしたり苦しそうな顔をしたりするけど、華音は穏やかでマリアのように優しく美しい表情で、まるで音を紡ぎ出す妖精のようだった」

「まあなんて表現なの。マリアで妖精だって！」

アンナがあきれたように顔をしかめる。

「俺もそうさ、神秘的な感じさえしたよ。彼女の演奏は本当に素晴らしかった。魂からわき出るような音色だった」

「そう言えば、アントニーはどうしている」

黒木が訊くとアンナが、

「……ワレサの人使いの荒さに耐えかねて局を辞めたの」

「なんで俺の名前が出るんだ！」とワレサ。

「やっぱり音楽が諦めきれなかったみたい」

「そうか辞めたのか、それは残念だね……アントニーは来宮華音が大好きだったからね……」

「来宮華音が死んだなんて本当に惜しいよ」

誰かがつぶやくように言うと直ぐにワレサが声を上げた。

「ほらまたそんなことを言う、夏恋が悲しくなるだろう。夏恋は俺に逢いたくて、わざわざ日本からやって来たんだよな。なあ夏恋」

「はい！」

戯けるように応える夏恋にみながどっと笑った。

「それでは、夏恋のためにかんぱーい！」

みんなが大声を張り上げてグラスを合わせた。

「日本の女の子はよく働くし、凄くチャーミングだ」

「嫁さんにするなら日本の女性だな」

アンナが立ち上がった。

「私だって女だよ！忘れていない！」

「忘れてる、忘れてる。アンナは怖い、男勝りだからな」

みんながまた笑った。

「ところで黒木、また仕事を持ってきてくれたのか」

「残念、そうじゃないんだ。来宮華音のことで少々調べたいことがあってね」

「え、どう言うことだ？」

「実は……、遺族は華音が自殺したとは信じていない」

「ふーん、そうなのか夏恋」

ワレサに見詰められて夏恋がはっきりと頷く。

「実は、俺もあのピアノ事故と華音の自殺については、釈然としないものを感じていたんだ」

「え、そうなのか？」

黒木が乗り出し、急にみんなが静かになった。

「後で変な噂があったんだよ。審査員の一人が自動車事故で死んだろう。それにピアノ事故、華音の自殺だろう。ちょっとありすぎじゃないか」

「そうなると華音の自殺と言うのも……」とKが首をかしげる。

「絶対に自殺じゃありません！　ピアノの事故くらいで自殺するような姉ではありません！」

夏恋は怒るように強く言い放った。

ワレサがグラスをかざして立ち上がった。

「はい、暗い話はそこまでだ。さ、みんな、黒木と夏恋の明るい未来のために、そして、また黒木が日本から良い仕事を持ってきてくれることを願って乾杯だ！」

「おうー！」

ポーランドＴＶスタッフとの気のおけない間柄は、黒木と夏恋に大きな安心感を与えた。

第一次予選（ビデオチェック一日目）

冷戦時代、スターリンがポーランドに贈ったという文化科学宮殿は、街の中心部に在って、かつては市民に忌み嫌われていたというが、現在では市内の良き目印になっている。黒木たちが泊まっているホテルの直ぐ目の前だが、ポーランド国営ＴＶ放送局はその中にある。訪ねると、アンナが迷路のような細い通路を何度も曲がって、スタジオの傍にある仮編集室へ案内してくれた。すでに運び込まれていたテープは五、六十本もあった。

「わー、こんなにあるの！」

「驚くのはまだ早いわ。これは第一次予選だけのテープ。コンクール全体だと山ほどあるから」

「きゃーっ！」

「そりゃそうだよ。一か月近く行われたんだから」

「大変！　一か月はかかりそう」

「そんなに付き合っていられないよ。関係なさそうなテープはどんどん飛ばす。三日もあればなんとか全部チェックできるだろう」

兎に角、必要なのは演奏シーンを含めて華音が写っているカットを探すことだ。同時に自殺に繋がりそうな周辺の状況カットも探しだす必要がある。

紙の記録をみれば第一次予選は九月二三日から始まり、三十日が結果発表とある。この時点で応募総数は世界三五か国、書類とDVD審査に合格した二五七人が審査を受けることになっている。会場が二か所でも優に一週間はかかる。参加者は課題の三曲から四曲を演奏し、十人の審査員が採点と同時に、YESかNOで次へ進めるかどうかの判定を下す。出場する方も審査する方も大変な労力が必要だ。

紙の記録を見ると華音は九月二七日の八人目になっている。

黒木はテープを見つけてVTRにかけた。

「コピーが欲しいところはタイムコードを記録しておいて、後でスタッフにやらせるから」

とアンナ。

「華音さんが写っているカットはそうしてもらうとして、それ以外でも気になるところはスチールでもいいから残せればいいんだけど」

「スチールだっていちいちコピーとっていたら、いくら時間あっても足りないよ、お金だってかかるし」

「画面を写真に撮ったらどう？　私カメラ持ってきているから」

「それだ！　それで十分だ」

「わー、夏恋は冴えてる！」

とアンナが肩を叩く。素人だからこその思いつきだった。

「これならいくらでも残せる」

「わたしが一緒で良かったでしょう」

「本当ね、素敵な助手がいてよかったわね。じゃ、後は大丈夫ね、五時になったらまた顔を出すわ」

アンナはそれだけ言うとそそくさと出て行った。

黒木が取材を始めたのは二次予選からなので、一次予選をチェックするのは興味があった。

会場はワルシャワフィルハーモニーホールの地階にある三百七十席の室内楽ホールだ。審査員がステージ前の席に並ぶ。この段階ではまだ観客は居ない。演奏の様子は一次予選の段階から世界中にインターネット配信されるため、全て収録されている。カメラは演奏者の全体と手元を撮るために中央左側に一台、表情を捉えるために上手に一台の配置。最小限の二台しか使っていない。プロの黒木には画面を見ればカメラの位置から台数まで簡単に読める。

黒木はテープの表記を見ながらどんどん飛ばした。

「……こんなに出場者が多いんじゃ審査員も大変ね」

「そりゃあそうだよ。この段階ではまだ無名の者から既にピアニストとして活躍している者までいるわけだし、しかも同じ課題曲を何十回と聴いて採点をしなければならないんだから疲れるだろうよ」

二時間くらいかかって二人は膨大なテープの中から華音の演奏部分を探し出した。

「やっと華音ちゃんに逢えるわ」

夏恋は興奮気味に画面を注視する。

「あれ！」

突然、黒木がテープを止めた。ステージでピアノが入れ替えられているところだ。

「なに？」

「これアントニーじゃないかな」

「アントニーって？」

「昨日言ってた華音さんの大ファンだった若者だよ。日本に行きたいと言って日本語を勉強をしていたんだけど……、なんだ一次予選ではピアノ係をやっていたのか」

黒木は納得して再びビデオをスタートさせた。

ＭＣのコールがあって、華音はステージ下手からゆっくりした足取りで現れると、審査員に一礼し、椅子に座ると直ぐに演奏を始めた。

「凄いなぁ、世界的なコンクールなのに、まるで音大の発表会みたいだ。落ち着いている」

「いつものリラックスした顔……。華音ちゃん、温和しいけど心臓は強いのよね」

食い入るように見詰めているうちに、夏恋はいつの間にか涙を溜めている。

「全部観たいだろうけど、コピーしてもらうから、先へ行こう」

二人は目をこらして画面を見つづけた。

華音が『第十五回フレデリック・ショパン国際ピアノコンクール』に挑戦しようと決めたのは、それほど強い意志があったからではなかった。恵まれた環境で、のんびりと育った所為か人と争ってまで手に入れたいものはなかったし、有名なピアニストになりたいと言う野望もなかった。卒業を前に将来を茫洋と想っている頃、同じ芸大の先輩で画家を志していた達彦にコンクールの話を持ち出された。

「せっかくピアノをやって来たんだから、ショパンコンクールに挑戦してみたらどう」

「え、ショパンコンクール？　私なんかとても……」

「挑戦してみなよ。友人に聞いたけど学校じゃ来宮華音を知らない者はいないって言っていたよ。教授陣も注目しているらしいね。このまま終わるのはもったいないとは思わない？」

「私は余り華やかな場所は駄目なの。好きなピアノが弾けて……、そうね、子供たちを相手にピアノ教室でも開けたらいいわ」

「欲がないんだな。僕が華音くらい優秀だったら、絶対に一流ピアニストを目指してショパンコンクールでもチャイコフスキーコンクーでも挑戦してみるんだけど……どうなの。結果がどうであれ、将来ピアノを弾いていく上で、大きな支えになると思うんだけど」

「……そうかしら」

「そうだよ。それにショパンゆかりの場所を巡る良い機会にもなる」

「そうね、それはいいわ。一度は訪ねてみたいと思っていたし、その後ウイーンへ行って、ベートーヴェンやモーツアルトの足跡を訪ねることが出来たらもう最高！」

「学生時代の最後の一大イベントだよ。絶対に良いと思う」

華音は達彦から何度か薦められているうちに、世界の檜舞台で自分の力を試してみるのも良いかな、と次第に心がポーランドへ向かうようになっていった。それで、師事している教授に相談したら、むしろ積極的に薦められた。母親の秋子も夏恋も大賛成だった。温和しい華音への刺激としては願ってもないことに違いなかった。

しかし世界的ピアノコンクールへの挑戦ともなれば幾つかの関門を通過しなければならない。応募には経歴と共にプログラム用の写真や正式に音楽教育を受けていることを証明するもの、師事したピアノ教師の推薦書などが必要だ。一番やっかいだったのは課題曲を演奏しているＤＶＤの提出が必要なことだった。しかも手の動きと横顔が判断でき、編集していないもの、という厳しい条件がついている。ベストな音質を考えるとホームビデオというわけにはいかない。幸い華音は大学の協力を得てスタインウェイのある学内のホールで録画することになり、カメラマンも達彦の紹介で番組制作会社の本職が協力してくれることになった。

華音は難なくＤＶＤと書類選考を通過し、ワルシャワでの第一次予選を受けるようにとの通知を受け取った。喜んだのはむしろ夏恋の方だったが、学校の関係で一緒に行くことは敵わなかった。一次予選程度に教授が随行することもなく、華音は秋子や夏恋に見送られて一人旅立った。

二〇〇五年九月、晩秋のワルシャワの風はまだ冷たかったが、街は明るく華やいでいた。華音は到着すると直ぐにタクシーでショパン協会の本部を尋ね、スケジュールの確認と練習のためにピアノの使用申し込みを済ませた。コンクールの間はショパン音楽学院の練習室が開放されており、一日二時間の使用が可能になっていた。

着いた翌日は、会場となるワルシャワフィルハーモニーホールとショパン音楽学院の場所を確認し、ゆったりと散歩しながらホテルへ戻った。初めての街だが物珍しさも手伝ってか、それほど不安は感じなかった。

その日の夜、パリの達彦から電話が入った。

「どう、無事に着いた？　ワルシャワは寒いだろう」

「ううん、それほどでもない。まだ緑も少し残っているくらいで気持ちいいわ」

「そうか、そりゃぁ良い。でも油断して風邪なんか引いちゃ台無しだからね」

「大丈夫よ、心配ないわ」

「体調に気をつけていい演奏をしてよ。一次予選に合格したら僕も何とかしてそちらへ行けるようにするから」

「ええ、待っているわ」

「とりあえずは一次予選の通過が目標だね」

「頑張るわ」

「華音なら大丈夫、きっとそうなるさ」

「祈っていて」

「すべての神に祈っているよ」

「ええ、お願いね」

「じゃ頑張って。お休み」


第一次予選が終わって結果発表までには三日間の空きがあった。

演奏にカワイピアノを選んだことから、カワイのワルシャワ支店が練習場所の提供を申し出てくれたが、合格の結果も出ていないのにその気にもなれず、一日目はショパンがよく散歩したというプシェドミエシチュ通りを、一人のんびりと歩いてみることにした。コンクール出場の日本人は多く、数人とは顔なじみにはなっていたが、人見知りに近い華音はあまり群れるのは好まなかった。

ガイドブックを手にホテルを出て、イエロゾリムスキエ通りを十分も歩くと大きな交差点に辿り着く。そこを左へ曲がればプシェドミエシチュ通りのはずだ。ショパンの心臓が安置されているという聖十字架教会はすぐに見つかった。とはいえ教会らしい尖塔も見えずうっかりすると見過ごしてしまうところだった。華音は前を歩く老夫婦の後に続いて、石段を上がって中へ入った。眼前に荘厳な白亜の空間が広がっている。中央正面に一際明るくなった祭壇が在り、ショパンの心臓を納めた柱は入って直ぐの左側にあった。

このショパンの心臓は、ショパンがフランスで亡くなったとき、姉のルドヴィカがポーランドへ持ち帰えったものだ。だが、この教会も第二次大戦でドイツ軍によって破壊され、一時ナチスによって持ち去られていたが、戦後、教会が再建された折りに元へ戻されている。

華音は厳粛な気持ちで柱の前に立った。

花輪が供えられ、見上げる位置にショパンの胸像と名前を刻んだレリーフが嵌め込まれている。じっと見上げ、佇んでいるだけで感動のあまり涙が溢れた。

およそ百九十年あまり前、心臓は漠々と音を立てて命を刻み、人々の魂を揺るがす数多くの楽曲を紡ぎ出していたはずだ。華音は自分が幼い頃から愛し続けてきたショパンの魂に触れたようで、深く頭を垂れたまましばらく動くことが出来なかった。

十月十七日、ショパンの命日には、この教会の空間もショパンが愛した『モーツアルトのレクイエム』の響きで満たされるのだ。果たしてその日まで、自分が勝ち残れるかどうかは分からないが、またこの場所に来て、全身でオーケストラの響きに浸りたい。華音はそう心に決めて教会を後にした。

百メートルも歩くと四階建てのビルの間に木が茂り、学生たちが出入りしている門が在った。現在、芸術アカデミーになっているクラシンスキ宮殿だ。学生に混じって構内へ入ると、三階の道路に面した部屋にショパン家のサロンが残されていた。丸いテーブルのそばにピアノが置かれた明るく広々とした部屋である。このサロンでショパンの『ピアノ協奏曲第一番ホ短調』と『第二番ヘ短調』の演奏が行われたという。華音は佇んだまま大好きな第二番を想い浮かべた。この一室がワルシャワにおけるショパン最後の住まいだったのだ。

画学生たちに混じって門を出ると北に向かって歩いた。

やがて大通りから斜め左へ入るY字路に突き当たる。船の舳先にも似た白い建物の端に丸いテーブルと椅子が並べられている。ショパンが散歩の途中よくコーヒーを飲みに立ち寄ったカフェだという。『ニテリメナ』という名前に変わっているが、今でも営業が続けられており、華音は店内に入って窓際のテーブルに座りコーヒーを頼んだ。狭い店内はひっそりとして観光客らしい人影もまばらだ。大通りの向かい側は小さな公園になっていて、老夫婦がベンチに座っているのが見える。まだ若いショパンはこの椅子に座ってコーヒーを飲みながら、通りの景色に何を思い浮かべていたのだろうか。

来るときはプシェドミェシチュ通りの左側を辿ってきたので、戻りは反対側を歩いて帰ろう。華音はすっかり冷めてしまったコーヒーを残して外へ出た。冷めたい風が気持ちよかった。

二日目は思い切って一人トラム（路面電車）に乗って旧市街へ出かけた。王宮広場の前を通り、群立するビルの一角から狭い路地を抜けると広場へ出る。まるでパステルカラーの色違いで描かれたような美しい建物が目に飛び込んでくる。絵本の一ページでも見ているようだ。華音は広場の真ん中に建つ有名な人魚像の傍まで歩き、周囲を見渡した。この美しい広場も、かつては第二次世界大戦でナチスドイツ軍の破壊によって瓦礫と化していたのだ。現在は元通りの建物が忠実に再建されていて、戦争の傷跡を示すものはほとんど見当らない。

広場の片隅には絵はがきや土産物の出店が並び、老人が手回しオルガンを鳴らしている。

「いかがですかお嬢さん」と背後から若い絵描きに声をかけられたが、華音は微笑みを返しただけで旅の感傷に浸りながら、隣りに達彦がいてくれたなら……と想った。

第一次予選の結果発表の日になり、矢張り一人で会場へ向かった。

続々と人々が集まってくる。発表会場となる奥のロビーは歩けないくらい混雑していた。時間通りに関係者が現れ、エントリーナンバーと合格者の名前が発表されていく。歓声も控えめで、まるで大学の合格発表の感じだった。自分の名前が呼ばれたのは確かだが、華音は掲示板にたどり着き、ずらりと並んだ四十あまりの名前の中に自分の名前を確認した。ほっと胸をなで下ろすと同時に、第二次予選の重い負担がのしかかるのを憶えた。

第二次予選（ビデオチェック二日目）

ビデオチェックが二日目に入り、第一次予選合格発表時の記録も見たが、華音の姿はどこにも写っていなかった。

「ポーランドテレビは何していたのよ、華音ちゃんは写っていないじゃない」

「そんなこと言ったって無理だよ。この段階ではまだ華音さんが注目されていた訳じゃないんだから。撮る方だってニュース撮りくらいにしか考えていないだろう」

「ね、今のところ達彦さんの姿も見えないけど、まだ来ていないってことかしら」

「これから第二次予選のチェックだから、どこかに居るんじゃないか」

「ねえ、その前にコーヒーブレイクにしません」

夏恋が固まった首を大げさに動かす。

「なんだい、始めたばかりじゃないか。これじゃ一か月はかかるよ」

「嬉しい、ワルシャワに住んじゃおう」

「まったく……。仕方ないコーヒーにするか」

「賛成！　先は長いんだから」

二人は廊下へ出ると長い通路を迷いながら、やっとコーヒーラウンジへ辿り着いた。

「華音さん、よく一人で来たもんだね。心細くなかったのかな」

「本当は私が一緒に来たかったのよね。でも華音ちゃん、あれで結構芯は強いから」

「夏恋さんには敵わないだろう」

「どう言うこと！」

「華音さんには、きっと達彦さんが心の支えだったんじゃないかな」

「そんなことない、ない。むしろ支えていたのは華音ちゃんの方よ」

「……」

「お金ないし……、華音ちゃんがお母さんに内緒で絵の具を買ってあげたりしていたみたいよ。もし、華音ちゃんがワルシャワで達彦さんと一緒だなんて分かっていたら、それこそ勘当騒ぎになっていたと思うわ」

「僕にはそれほど悪い人にはみえなかったけどね」

「そう思わせてしまうところが、あの人らしいところ。どこまでが本当かどうか判りゃしないわ」

「辛辣だな夏恋さんは……」

　黒木はため息をついてコーヒーを口へ運んだ。

「そう言えば達彦さんの家との関係がどうのこうのと言ってなかった」

「お父さんと達彦さんのお父さんとは大学時代からの親友同士だったの。近所に住んでいたこともあって、家族ぐるみで付き合っていたわ」

「達彦さんちは何の仕事をしていたの？」

「画廊と画材店を開いていたんだけど、バブルがはじけた後、潰れてしまったの」

「バブルか……」

「私の家はおじいちゃんの時代から不動産業をしていて、近所に土地や建物をいっぱい持っていたんだけど、近くに地下鉄の駅が出来るからって、再開発の話しが持ち上がって……、それでお父さんが土地を売って立ち退くことにしたの」

「そうか、当時は地上げ騒動が社会問題になったくらいだから、弾ける前に手放した人は大変なお金を手にしたはずだよ」

「まあね。家は幸運だったのよ。その年の納税日本一になったくらいだから」

「へー凄いな！」

「でも良いことばかりではなかったわ。お父さんは癌が見つかって亡くなってしまうし、達彦さんの家も潰れてしまったし」

「なるほどそれで借金の話か……」

「そう、お父さんが土地を売ったことから達彦さんちは立ち退かねばならなくなり……、でもお父さんは新しい場所で画材店を再開するためにいろいろと面倒を見てあげたのよ。だけど結局は巧くいかず店は閉じる羽目になってしまった。……華音ちゃんはそんな事情をよく知っていたから、達彦さんが気の毒で何かにつけて応援していた」

「なるほどね……それで太い糸や細い糸が絡み合って、僕たちは今ワルシャワにまで来てこんな話をしているというわけか」

「……ついしゃべり過ぎちゃった」

「ま、聞かなかったことにしよう。じゃ、そろそろ始めるか」


二人は編集室へ戻ると直ぐに第二次予選のチェックに入った。始めてから二時間は過ぎたのに収穫なし。

「ポーランドテレビは演奏以外はあまり撮らないのね」

「よほどの事件でも起きない限り、あれもこれもは撮らないよ。むしろ僕たちみたいに外国の取材班の方が撮るんじゃないかな。……そうだ、ほらこれだ。華音さんがステージに上がるところ。成城で観ている時この後はないのって言っていたでしょう」

「そうそう、ステージでの様子が見たかったのよね！」


拍手に迎えられて華音は中央まで進むと、客席に向かって丁寧にお辞儀をし、ピアノの前に座った。姿勢を正し、ほんの二、三秒目を閉じるとゆっくりと両手を鍵盤の上にのせ『ノクターン第二十番嬰ハ短調』を弾き始めた。夏恋はこの演奏の一部は番組で見ているはずだが、初めて見るかのように身じろぎもしないで見詰めている。

「華音さんの演奏ってどうしてこんなに切ないいんだろう。……魂に直接響いてくるんだよね。……これだけの観衆の前で少しの動揺も見せない」

「少しは上がっていると思うわ。あまり感情を表に出さない人だから」

「それにしても華音さんの演奏している姿は美しい。アントニーが好きになってしまう気持ちが良く分かる。僕だってもう一度華音さんに逢ってみたかった」

夏恋は急に涙を滲ませ黙り込んでしまった。

「あ、済まない、想い出させてしまったか。……このくらいにして先へ進めるよ」

黒木は演奏シーンを早送りで飛ばした。

演奏が終わると、華音は沸き起こる拍手にも目もくれず、軽く頭を下げただけで直ぐにステージから消えた。カメラが慌てたように鳴り止まない聴衆の姿を映していく。

黒木はビデオを止めた。

壁際に立ち、拍手もせず何か囁きあっている三人の男を捉えたからだ。

「なに？　達彦さん？」夏恋が黒木を見つめる。

「いや、……」

黒木は答えず写真を二、三枚撮った。何故か場違いな雰囲気を感じた。

演奏を終えて通路へ出てきた華音に、黒木が取材を申し込んで断られたのも、この二次予選でのことだった。

一日中モニターを注視しながら華音を捜し続けるのはさすがに辛い。夕方の五時になってアンナが顔を出した。

「どう、はかどった？」

「やっと二次予選の演奏が終わったところ」

「そう、それで何か発見はあったの？」

「華音さんの演奏シーンの前後位かな」

「そう。……どう夏恋、疲れたでしょう」

「少し、……でも華音ちゃんの演奏に逢えたから嬉しかった」

「じゃ苦労のしがいがあったわね。明日も今日と同じでいいの？」

「頼みます」

「そう、じゃ引き揚げましょうか。これからどうする？　ワレサも一緒に食事でもする？　さっき帰ってきたみたい」

「そうするか？」

黒木が夏恋に視線を投げた。

テレビ局を出ると、すっかり薄暗くなった街は冷たい風が吹いていた。コートの襟を立て、四人は新世界通りまで歩き一軒のレストランに入った。

「全部見るなんて大変だろう。ご苦労なこった」

ワレサが冷ややかに夏恋の肩を叩く。

「そんなことを言わないの、ワレサは本当に人の気持ちが解らないんだから。ねえ、夏恋」

夏恋は頷いてワレサをいたずらっぽく睨み付ける。

「そういえば俺も気になることがあったね」

「何だ、それは」

黒木が乗り出す。

「ある日、カメラマンが足りなくなったんで、俺が二階の三カメをやることにした。一番端の審査員の直ぐ脇さ」

「それで」

「端に座っていた審査員が後ろの二列目の審査員に囁いたんだ」

「何だって？」

「なにを言ったのよ！」

アンナまでが乗り出す。

「そう急かせるなよアンナ」

ワレサは思わせぶりに続ける。

「同じ演奏を何十回も聴かされる訳だろう。そりゃぁ審査員だって退屈してくるわけさ」

「解るよ。相当な忍耐力が要ると想うね」

「だろう。ステージに上がってピアノに辿り着くまでの様子を見れば、どの程度のレベルの奴か、素人の俺にだって判る」

「凄いじゃないの。ワレサも耳が……いや、目が肥えたじゃない」と、アンナが茶化す。

「それ位のことは判るさ。毎日毎日飽きるほど見ているんだぞ、体中がピアノの音でだぶだぶになってしまう。それに手指の動きから表情、小さな仕草までカメラで見ているんだから検討はつくようになるさ。緊張のあまりロボットのようにコチコチになつて歩く奴も居れば、一流のピアニスト然と恰好をつけて歩き失笑を買う奴も居る」

「それで、気になることって何ですか？」

夏恋がしびれを切らして言う。

「よほどの演奏でなければ、聴いている審査員だって眠くもなるし、隣と無駄話もしたくなるってことさ。俺たちだって同じことを繰り返す訳だから眠くもなる。時々目覚ましのようにディレクターから、もっと手元に寄れとか引けとか指示がくることはあるけどね」

「無駄口はいいから先へ行って！」

アンナが急かせる。

「端っこに居た審査員が、一本指を示してどうかって言ったんだ」

「……なに、買収か？」黒木が乗り出す。

「判らん。ピアノを売る話だったかも知れん。今回から中国のピアノが公式ピアノとして採用されているんだし、中国だって売り込みに必死になっていたっておかしくないと思うよ。或いは……ゴルフの賭の話しだったかも知れない」

「適当なことを言わないでよ！」

アンナがテーブルを叩いた。

「いや、買収があってもおかしくはないよ。国際的なショパンコンクールともなれば、国家の威信さえかかっているんだ。出場者は個人であると同時に国の代表でもある。日本ではどうか知らないが、ロシアや中国、韓国の熱の入れようは半端じゃない。ポーランドだってそうさ。三十年振りにカミンスキーが一位入賞したことでどれだけ国中が大騒ぎしたか」

「ま、オリンピックで金メダルを取るようなもんだからね。僕だって同じ日本人の来宮華音に入って貰いたかったもの」

「そんなのみんな同じよ。だからって、賄賂で審査の結果が動くなんてコンクールを侮辱する話だわ。ショパンコンクールはポーランドの国家的事業なのよ。そんなことを軽々しく言ったら大変なことになる」

アンナがきつくたしなめる。

「買収とは言っていないだろう。俺はただ見たことを言ったまでだ。聴衆の間で評判のよかった奴が落ち、まさかといった奴が入ったりして騒ぎになったこともあるくらいだから」

「うーん、……ないとは言い切れないかも」

「黒木までそんなことというの。あり得ないよ！」

「嘘か本当かはともかく、調べられないのかな」

「俺の友人で探偵やっている奴がいるんだが、聞くといろいろあるらしいよ」

「へー、ワレサは探偵の友人まで居るんだ」

「華音のことも頼んでみるか」

黒木が調子に乗りそうなのを遮って、

「深入りしない方が良いよ。背後に国が絡んでいたりしたら暗殺されるかも知れないわよ」

アンナが脅すように言うと今度はワレサが、

「面白いじゃないか。賄賂に絡んだショパンコンクール暗殺事件。国際的なニュースになるだろう」

「華音ちゃんも暗殺されたってこと、あるかしら？」

夏恋までが真顔で考え込む。

「夏恋、ワレサの話に悪のりしちゃ駄目よ」とアンナ。

「でも、華音ちゃんはコンクールに落ちたからって、絶対に自殺なんかする人じゃないから」

「自殺かどうかは別にして、その原因になったかも知れないピアノ事故が何故起きたかだ」

黒木が真剣な顔をして呟く。

「うん、その件もいまだに曖昧なままだからな。……ひょっとすると……今回から採用された中国のピアノ『チャイニィP』と関係があるかも知れない」

「どういうことだ」

「いやぁ、飲んでいるとき探偵の奴が面白い話しをしてくれたことがあるんだ」

「なになによ、また適当な話をしたら承知しないわよ！」

アンナに釘を刺されながらワレサは真面目な顔をして話し始めた。

戦略会議（中国・華楽公社）

中国の審陽にある楽器メーカー華楽公社の大会議室は、ベートーヴェンの『皇帝』が高らかに響き渡っていた。中央に置かれた一台のグランドピアノを取り囲んでいるのは十人あまりの役人たち。演奏が終わると販売部長らしき男が大げさな拍手をしながら立ち上がった。

「いやー実に素晴らしい演奏でした。ピアニストの腕でもありますが、その力を十分に発揮させたのはこのグランドピアノチャイニィPであります。試作に費やすこと十年、今回我が社が完成した世界に誇れるピアノであります。最早、日本のヤマハやカワイにひけを取らない、いや世界的に知られるスタインウェイにも劣らぬ最高のレベルに達しました」

「君、そんなに自画自賛しても、世界の音楽家やピアニストが認めなきゃ意味ないだろう」

社長らしい男が渋い声で言う。

「仰る通りであります。先日、かの有名な世界的ピアニストのアンドレ・ホロビッチ氏に指弾をお願いしましたところ、文句なく世界に通用する優れたピアノであるとの評価を頂きました。勿論その他数人の一流ピアニストにも試弾をお願いしましたが、音色はもとより鍵盤のタッチ感、アクションの動きもなめらかで素晴らしいピアノだと口をそろえて申しておりました。打鍵マシンによる一万回の連弾にもなんの問題も生じておりません。全ての点でチャイニィPは紛れもないピアノの名器となったのであります。世界に通用するコンサートピアノを世に送り出したいという、文化芸術省の悲願がやっと達成できる日が来たのであります」

「優れた製品に仕上がっていることは良く分かった。問題は販売だ。それにはまず世界の音楽業界に広く知って貰わないことには始まらない」

「はい、正に仰る通りであります。そのためには新聞、雑誌、テレビCMとあらゆる媒体を動員して広告を打つ予定であります」

「そんな常識的なことは分かっておる。もっと気の利いた戦略はないのか」

「楽器は音が命であり、文字や写真だけでは、その真価を伝えることは出来ません」

「分かっておる。だからどうするのだ」

「はい、まず第一段階として国内国外を含め、チャイニィPによるコンサートを考えております。もちろん世界的に知られた一流のピアニストを起用してのことであります」

「一流のピアニストが、まだ無名に近いピアノを使ってコンサートを開くと思うのか」

「確かにそうでありすが、一流のピアニストであれば音の良し悪しには敏感です。無名とはいえチャイニィPを一度弾いて貰えば、その良さは容易に理解してもらえるはずです。来年は我が社の創立百周年に当たりますから、世界の恵まれない子供たちに音楽を！　と銘打ってチャリティコンサートを展開いたします」

「うむ、他にもっと強力な戦略はないのか」

「あります。世界の名だたる音楽コンクールでチャイニィPで演奏した優勝者を出します。三大ピアノコンクールと言われる、つまり『エリザベート王妃国際音楽コンクール』、『チャイコフスキー国際コンクール』、そして『フレデリック・ショパン国際ピアノコンクール』でありますが」

「それくらい知っておる」

「ピアノと言えばやはり『ショパン国際ピアノコンクール』でしょう。この最高の存在であるショパン国際ピアノコンクールでチャイニィPを弾いた優勝者を出すのであります」

「調子いいな君は。公式ピアノに認定されることが先じゃないのか。既に世界のトップ四社が占めているはずだし、今更入り込む余地があるのか」

「あります。実はオーストリアのベーゼンシュタイン社が今回限りでコンクールから手を引くと言うことですし、参入するには今が絶好のチャンスであります」

「ほう、ベーゼンシュタイン社が撤退する？　理由はなんだ」

「理由は幾つかあるようですが、どうやら楽器メーカーとして経営危機にあるようです。日本のメーカーの傘下に入るのでは、と言った噂も流れておりますが、まだ結論には至っていないようであります。もう一つの理由は日本のピアノの評価が高まるにつれて、ベーゼンシュタインを使用する出場者が少なくなってきたからのようであります。つまりベーゼンシュタイン社にとっては広告的意味合いが薄れ、同時にオフィシャルスポンサーとしての経済的負担も耐えられなくなったからだと思われます」

「うーむ。我が社は楽器メーカーとしての伝統はあるとはいえ、ピアノに関してはまだまだ新興メーカーだからな。参入するチャンスかもしれないが、他のメーカーだって狙っているだろう」

「そこは社長、戦略次第であります。実はワルシャワのイワノフ教授に渡りを付けてありまして、教授はポーランドショパン協会の芸術部長であり、最も権力ある人物です」

「しかし、一メーカーのために簡単には動いてはくれないだろう」

「ご心配ありません。そこは我が社の支援のあり方次第であります」

「……よし、考えよう。文化芸術省の文化強国政策を進めるためにも、いろいろと手を尽くしてみてくれ。中国ブランドの優秀性を全世界に認めさせるのだ」


華楽公社は、一九九七年、ベーゼンシュタイン社撤退が決定するといち早くショパン協会に取り入った。実のところ公式ピアノとして参入を希望するピアノメーカーはわずかに三社しかなかった。それは単にピアノの提供だけではなくショパン協会のメンバーとなり、オフィシャルスポンサーとして経済的にもコンクールを支えていく義務も負わなければならないからだ。遂に華楽公社は公式ピアノの認定を取りつけることに成功し、二〇〇五年の第十五回からその真価を問われることとなった。だが、いざコンクールが始まってみると、チャイニィPを選んだ出場者は、一次予選に通過した八四人の内わずか五人に過ぎなかった。第二次、第三次、ファイナルと上位に進めば尚更、チャイニィPが選ばれる期待はほとんどないと言ってもよかった。

第三次予選（ビデオチェック三日目）

第三次予選に入ると会場は詰めかける聴衆で熱気が上がる。

逆に出場者の緊張感は限界に達する。この段階で残っていたのは二十三人だったが体調不良で二人が棄権、結局、二十一人がファイナルの十二の椅子を目指して火花を散すことになった。コンクールは演奏能力だけでなく、いかにしてベストな体調を維持していくかも重要なのだ。また自己を管理していく強い精神力がなければ厳しいハードルを乗り越えていくことは出来ない。

この日、華音は早めにホテルを出て会場に着くと正面左側にある出場者専用の入り口から入り、受付の手続き、ピアノの選定、登録を済ませて控え室へ入った。

黒木たちは午前中にショパン博物館の内部と街頭インタビューを撮り終えて楽屋へ入った。丁度、有力候補のポーランドのユゼフ・カミンスキーが出番を待っているところだった。彼は鏡の前で髪をかき上げ、蝶ネクタイを何度も直し、気ぜわしく往ったり来たりしている。その緊張感がピリピリと伝わってくる。

ユゼフ・カミンスキーの演奏が終わるぎりぎりのところで華音が控室から出てきた。


モニターを見詰めていた夏恋が声をあげた。

「あ、華音ちゃん！」

二次予選の時と同じドレスだ。華音はカメラを向けると微かに笑みを見せた。

ＭＣのコールでステージに上がった華音は中央までゆっくりと歩き、拍手を送る聴衆に向かって深々と頭を下げ、ピアノの前に座ると、持っていた白いハンカチで鍵盤を拭き、続いて自分の両手の指をゆっくりと拭くとピアノの右端に置いた。

「華音ちゃんはあまりこんなことしないのに、やっぱり少しは緊張しているのね」

「……聴きたいだろうけど演奏はコピーして貰うから飛ばすよ」

演奏は四十分位はかかるので、黒木たちはこの間舞台裏のカフェで一息入れる。演奏の様子はカウンター脇のモニターでチェックできた。

「アントニー、コーヒーが冷めるぞ」

黒木に声を掛けられてもアントニーはモニターから視線を離そうとしない。

中原がカメラのテープを交換し始めたとき、突然奥の席で争っている声がした。ＭＴＢ音楽事務所の番組制作プロデューサー・吉村と広告代理店のＳが深刻な顔で向き合っている。

「協会にはちゃんと確約を取ってあるということでしたよね。そう私に言いましたよね！」

「その通りなんですが……。最初に話し合った時には協会側もオーケーを出していたんです」

「それが今になってどうして駄目になるんですか。もし契約できないとなれば大問題ですよ。この企画はそれを含めて始まったんですから」

「分かっています。まだ誰が入賞するかも分かりませんし、はっきりしたところで協会には再度掛け合ってみます」

「頼みますよ本当に！　契約が出来ないとなると協賛金を出す意味がなくなるし、番組も含めすべて白紙に戻すしかなくなります！」

「待ってください。番組制作は既に進行しているんです。もう一度掛け合ってみますから、少し待って下さい、お願いします」

「……もう一度って、これで何度目ですか。ワルシャワへ来てからまるで進展していないじゃないですか。もともと無理だってことじゃないですか。先の見えない話をいつまでも待っているわけにはいきませんよ」

「必ずなんとかします。お願いします」

吉村は深く頭を下げる。話し合いは壁に突き当たったまま、殺気だった雰囲気を残して終わった。

スポンサーである音響機器メーカーM&T社はコンクール入賞者を丸ごと抱え込み、東京へ招聘してショパンコンクール・入賞者ガラコンサートを開催し、同時に各ピアニストの演奏をCD化して自社レーベルとして発売することを狙っていた。

黒木はディレクターとして番組制作を依頼されているだけだが、もしM&T社が提供を辞めるとなれば、これまで撮ったテープは宙に浮いてしまうことになる。何よりもコンクール会場で開局記念の目玉として『関東テレビ局賞』を発表しており、今さら取り下げる訳にはいかないはずだ。

「もうすぐ終わります」

アントニーの声にスタッフは慌てて機材を抱えて楽屋通路へ急いだ。

丁度華音がステージから下りてきたところだったが、拍手が鳴りやまず係員に促されて二度もステージに戻った。表情を捉えようと数台のカメラが待っていたが、華音は避けるようにして控え室に消えた。黒木がとりつく暇もなかった。

第三次予選ともなると、さすがにポーランドTVのカメラも審査員の反応や熱心にメモを取る聴衆の姿なども捉えている。

「なにしているの？」画面を見詰めながら夏恋が訊く。

「採点しているんだよ。ショパンコンクールの聴衆にはピアニストや音楽評論家、ピアノの先生など、みんなプロ並みに耳が肥えているからね、自分なりの採点を楽しんでいるんだ」

「観客が？　まあ、怖い！」

「出場者全員の顔写真と簡単な経歴を紹介したパンフレットが売店で買えるし、『ガゼッタ』という情報誌も毎日発行されているから、有力候補者の名前や批評記事なども知ることが出来るんだ。ま、競馬の予想みたいなもんだ」

「へー、ただ聴くだけじゃないのね。華音ちゃんは馬か」

「そう言っちゃ可哀想だよ」

カメラの目が客席から二階の審査員席に移動し、アップで捉えながら右へパンしていく。腕を組んで聴き入ったり、メモを取ったり、中には眠っているのではないかと思われる審査員もいる。

黒木がビデオを止めた。

「本当に来ていたんだ」

「え、達彦さん？」

「いや、彼女」

「かのじょ？」夏恋が身を乗り出す。

「ほら、真ん中の審査員の後ろの赤い服を着た女性」

「誰なの？」

「ソフィアさん」

「ソフィアさん？」

「ほら、華音さんを発見したとき一緒だった人」

「この人が？」

「そう、勿論、この時よりずっと後になつて出会った訳だけど」

「どうして知りあったの？　ナンパ？」

「ほら……、今はそんな話をしている場合じゃないでしょう」

黒木は審査員の写真を数枚撮った後テープを掛け替えた。

「さ、第三次予選発表のテープだ」

「華音ちゃん、合格しているかしら、胸がどきどきするわ」

結果は分かっているのに、夏恋はすっかりビデオにシンクロしている。


いよいよファイナルに残る十二人の発表とあって、会場は報道陣と関係者でごった返していた。黒木たちは人混みを分け入ると、最前列へ出て取材陣を迎え撃つ位置にカメラを据えた。発表の瞬間、群衆や有力候補者がどんな表情を見せるか捉えるためだ。カメラマンの中原が不安そうにきょろきょろしている。

「アントニー、来宮華音はどこだ?」

「……見つかりません。……リン・チャオヤンは三番目の窓際にいます」

「カミンスキーは!」

「さっきから探しているんですけどね、見つからないんですよ」

助手の山下が声を上げた。

「いました! 来宮華音、あそこです!」

「どこだ」

「奥の柱の左側です」

黒木は華音の姿を確認した。

発表予定の時間になって突然拍手が起きた。誰かがしかけたらしく、どよめきが起きたがそれっきりだった。

深夜十二時になってもなんの動きもなかった。

そのころ審査員室はまだ紛糾していた。

激論

審査風景が録画されているのは予想外だった。いわばシークレットな場面であり、放送とは関係なく記録されたものだろう。

ホール二階の右扉を出ると直ぐ目の前が審査員控え室になっている。中央に審査員長のヤン・シモノヴィチ氏。両側に十名ずつの審査員が向き合うように座っている。いずれも過去にコンクールで入賞し国際的に活躍しているピアニストや著名な音楽関係者たちである。カメラは全体を捉える位置に一台が据えっぱなしになっているだけだ。

ファイナルに残すべき十二人のうち、残る二人の選定で紛糾していた。乗り出すようにして異議を唱えているのはイワノフ教授だ。

「韓国のパク・ヒョンジェが入って中国のツオン・リーが入っていないというのは全く納得がいきません。ツオン・リーは一次、二次共に完璧ともいえるほど素晴らしい演奏で高い評価を得ていました。それに引き替えパク・ヒョンジェの演奏は曲による出来不出来のばらつきがありすぎます」

向かいに座っているK教授が反論する。

「確かにツオン・リーが平均的で無難な演奏をしたことは認めます。しかし、技術的には結構高いものを持っているとはいえ心に訴えるものが不足していると感じますが」

イワノフ教授が強い声で応じる。

「まずはたしかな技術を身につけることでしょう。技術が稚拙では十分な曲の心を紡ぎ出すことは無理です。それから同じレベルならマイケル・コーエンよりリン・チャオヤンを残すのが妥当でしょう。それにロシアのエフゲニー・サハロフもミスタッチが認められました」

ゴドフスキー教授が反論する。

「教授はそう仰いますが、サハロフのポロネーズは他の追随を許さない圧倒的に素晴らしい演奏でした。完璧ともいえるものでした。マズルカ作品25の6もしかりです。まだ若いですから多少の偏りは出るでしょうが、問題はこれからの将来性をくみ取るかどうかです」

「日本の来宮華音についてはどうですか」

審査員長のヤン・シモノヴィチが流れを変えた。

いち早くイワノフ教授が発言する。

「彼女の感情移入の素晴らしさは認めます、がしかし、感情におぼれるあまり、これがショパンの曲かと思わせるところが随所にありました。これまでのコンクール基準に照らせば、選外というのは仕方ないんじゃないですか」

「どういうことですか」

審査員長のヤン・シモノビッチが正した。

「譜面の解釈が間違っています。ショパンが一つひとつの音符に何を思い、込めているのか、何を伝えたかったのか、もっと理解を深めた上で表現すべきでしょう」

ゴドフスキー教授が立ち上がった。

「しかし、彼女の演奏が私たちの心を揺さぶるのは何故でしょうか。彼女の微弱な打鍵とコントロール、ピアニッシモは驚くほど美しく、みずみずしい豊かな表現力に満ちていました。私はこれほど繊細で美しい音を聴いたことはありません。確かにショパン的であるかどうかという点では問題があるかも知れませんが、技術的な面も含めて完全に自分の心を反映した優れた演奏でした。ファイナルに残すべきは当然でしょう」

イワノフ教授が憤然として声を強める。

「ちょっと待ってください。このコンクールはショパンコンクールですよ。チャイコフスキーコンクールや他のコンクールとは違います。失礼ながら貴方はどういう基準でこのコンクールの審査をなさっているのですか。ショパンコンクールは、あくまでもショパンの音楽を、彼が人々にピアノを通して伝えたかった心を、魂を未来に受け継ぐことの出来るピアニストを発掘し、育てていくためではないのですか。ただピアノが上手に弾ければそれでよいのですか」

「おっしゃっていることに反対というのではありません。私が言いたいのは才能のある若者をショパン的でないということで切り捨ててよいのかということです。ショパンが生きていたのは百九十年あまりも前のことです。ピアノも違えば演奏される会場の大きさだって違います。何よりショパンは同じ演奏はほとんどしなかったとさえ言われているではありませんか。つまり時と場所、聴衆の雰囲気に合わせてもっと自由に演奏していたということです」

「だからといってショパンの心を、ショパンが人々に伝えたかったポーランドの心、魂を無視してもよいということにはなりません」

「そうだと言っているのではありません。彼女はショパンを理解する十分な感性を持っています。ショパン的でないという一言で、将来伸びるであろう豊かな才能を簡単に切り捨ててよいんですか。もしリン・チャオヤンが入って来宮華音が残らないなら私は審査員を辞退します」

「まあまあ、落ち着いて話し合いましょう」

審査委員長のヤン・シモノビッチが慌てて割って入った。

「確かにこれまでのコンクールではショパンらしいかどうかが重要視されてきました。イワノフ教授のご意見は正論ではありますが、アジアからの応募が多くなっている現状を鑑みると、審査基準も柔軟に対応していくべき時代になっているようにも思えます。私はどちらかといえばゴドフスキー教授のご意見に賛成です。勿論ショパンを深く理解した上での演奏が重要なのは言うまでもありません。しかし、今はまだ完璧ではなくても、将来を期待できる有望な若者を見つけ、育てていくことこそ、私たちの使命であり義務でもあります。どうでしょう、二人とも残しファイナルでのオーケストラとの競演の成果で結論を出してみては如何でしょうか」

譜面の解釈を初め、それを表現する技術と芸術性とのバランス、引いてはピアニストとしての容姿振る舞いなど、外見を含め人間的魅力が微妙に審査員の心を動かす。スポーツのように計るべき確かな物差しを持たない音楽にあっては、言ってみればその時の審査員のメンバー次第で、結果はがらりと変わることもあり得ると言うことだ。

予定より待たされること二時間余り、深夜の一時過ぎになってざわめきが起き、中央の螺旋階段から審査員長のヤン・シモノビッチと審査員全員が下りてきて壇上に並んだ。審査員長の挨拶のあと経過の説明があり、合格者の名前が国名と共に次々と読み上げられていく。その都度あちらこちらで歓声が上がった。ポーランドのユゼフ・カミンスキーの名前に一際大きなどよめきが起きた。続いて中国のリン・チャオヤンの名前が読み上げられると歓声と共に取り巻きの輪が飛び上がった。その輪の中に黒木が気にした三人の姿があった。そして最後に来宮華音の名前が読み上げられた。華音と抱きあって喜ぶ達彦の姿が見えた。勿論この時点で黒木はまだ達彦のことは知らない。

結局、フランスのラファエル・サージュマンと難曲のポロネーズを演奏して審査員の注目を集めていたロシアのイワン・ラヴロフ、強い集中力に貫かれたソナタ第3番で会場を沸かせたフランスのラファエル・サージュマンとマズルカの演奏で審査員を圧倒したカナダのダニエル・ハートが消えた。

こうしてファイナルに残る十二人が決定した。


発表の終了と同時に、黒木はカメラと共に群衆の中に分け入り、二人連れの老婦人にマイクを向けた。

「如何でしたか。貴方の予想通りでしたか？」

「カミンスキーや来宮華音は妥当でしょう。しかし、確実と言われていたカナダのダニエル・ハートが落ちたのは納得できませんね」

「ロシアのイワン・ラヴロフが入っていないのも残念だわ」

二人連れの若い女性を捕まえた。

「日本の華音来宮が入ったのは本当に良かったです。今まで聴いたことのないような美しい音色で感動しました。彼女のマズルカもポロネーズも最高でした。ポーランドのヘレナ・シマノフスカにも期待していたんだけど残念ね」

次に、恰幅のよい老紳士に声をかけた。

「マズルカで苦戦する人が多かった。マズルカは舞曲であると同時にショパンの心そのものなんだから、もっとダンスの心を学んで欲しいね」

「わたしの採点とは違って、いろいろと疑問も残りましたが、今度はオーケストラとの競演ですから ね、本当の力量が判るのではないですか」

早く華音にたどり着きたかった。黒木はインタビューを中断して華音がいた場所へ急いだ。

「アントニー、来宮華音を捕まえるんだ」

「はい！」

アントニーは直ぐに人垣の中へ消えたが、黒木たちは機材があるため簡単には進めない。エントランスホール、クローク、ホール入り口と探したが華音の姿はなかった。アントニーが戻ってきた。

「どこにも見あたりません」

「表は？」

「見ました。いません」

黒木はインタビューに時間をとったことを後悔した。

ショパンの命日（聖十字架教会）

ファイナルへの合格者が発表された翌日の十月十七日はショパンの命日に当たり、聖十字架教会で追悼祭が行われる。ファイナルへ進む出場者にとっては束の間の休息日となるが、黒木たちにはそんなゆとりはなかった。正午近くから始まる献花のシーンを撮影するために教会へ急いだ。すでに花輪を携えた各種団体で混雑しており、機材を持っての入場は危険というので、アンナに案内されて脇の出入り口から中へ入った。

ショパンの心臓が納められた柱の周りが、自分よりも大きな花束を抱いた少年少女達や、外まで延々と続く各種団体の献花によって埋め尽くされていく。黒木は急いで中原へ撮るように合図を送った。

黒木たちが教会で取材している頃、華音は協力販売店のショールームでピアノを前に最終チェックをしていた。まさかコンチェルトを演奏しなければならなくなるとは想ってもいなかった。厳しい教授の指導で繰り返し練習はしていたが、オーケストラと音合わせをしたことは一度もない。問題はすべての楽譜が頭に入っているかどうかだ。

華音は『ピアノ協奏曲第二番へ短調』を選んでいた。殆どの出場者が『ピアノ協奏曲第一番ホ短調』を選ぶ。それは二番には優れた演奏技術を必要とする箇所が多く、二番を演奏する者は入賞しないというジンクスさえあったからだ。だが華音はあえてそちらを選んだ。

オーケストラとの競演は恐怖であると同時に楽しみでもあった。華音は一通りチェックを終えると立ち上がった。これ以上やっても迷いが生じるだけだ。後はオーケストラと向きあい、その瞬間瞬間にどう心を通い合わせていくかだ。オーケストラという母船と共に大海原に乗り出し、後は運を天に任せるしかないだろう。華音はそう腹をきめると、夜はショパンのミサに出かけることにした。

黒木たちは献花のシーンを撮った後いったんホテルに戻ったが、日暮れになって再び教会へ向かった。ライトアップされた教会は、これから始まる追悼ミサの荘厳なる演奏を想起させるにふさわしい姿で浮かび上がっていた。

混雑を避けて祭壇に近い側面の入り口から中へ入ると、アンナが「ついて来て」と埋め尽くされている観客席の通路をぐんぐんと後方へ歩いていく。これではステージから遠くなる、と黒木が不審に思っていると、アンナは薄暗い階段を上がり、パイプオルガン前のバルコニーに案内した。

黒木は思わず感嘆の声を上げていた。

「素晴らしい！　最高だよアンナ！」

「さすがでしょう。特別の特別よ。感謝して」

「いやまったく、神様仏様、マリア様、アンナ様」

アンナも満足げにウフフフと笑う。

「いや本当にこのポイントは最高ですよ」

中原が興奮を抑えながら準備を始める。

薄暗い中に中央通路が祭壇に向かって延びており、すぐ目の前左側にショパンの心臓を収めた柱がある。オーケストラのステージと聴衆を俯瞰できる絶好の位置である。ステージは少々遠いがアップで狙えば十分だ。他社のカメラはどこにも見あたらない。まさに黒木たちの独壇場だ。

三脚を準備しながらカメラ助手の山下が呟く。

「今日は、アントニーはどうしたんですかね？」

「ごめん、疲れているみたいだったから、今日はいいからって休ませたの。あの子は繊細で元々現場はあまりあわないのよね。私で我慢して」

「いやいやそんなつもりじゃ……」と山下が恐縮する。

荘厳なミサが続いている。

準備を終えてカメラを覗いていた中原が、

「黒木さん、あれは来宮華音じゃないですか」

と言ってモニターを示した。祭壇前に特設された右側の席に、確かに華音らしい横向きの姿が認められた。

「確かに、来宮華音だよ」

「明日からファイナルというのに、ゆとりがあるんですね」

「自信があるんでしょう。普通なら心配でミサどころじゃないでしょうに」

とアンナが言うと助手の山下が引き継いで、

「来宮華音なら大丈夫ですよ」

「なんで山下が自信あるんだ」

「案外こういったゆとりのある人が入賞するんですよ」とすまし顔。

やがてワルシャワフィルハーモニーオーケストラとその合唱団、そして四人のソロ歌手による演奏が始まった。それはまるで荘厳なる音の洪水となって教会の空間を満たしながら押し寄せてくる。

黒木はこれほど神秘的で魂を揺さぶる霊気に抱かれたことはなかった。

長い演奏が終わり、圧倒的な音の洪水に酔いしれていた参列者たちが帰り始めた。

「来宮華音をアップで狙うんだ」

中原は目一杯ズーム・アップして、人混みに押しつぶされそうになりながら歩いてくる華音を狙い続けた。と後ろに続いていた男がよろけるように華音にぶつかった。いかにも不自然な動きだった。

「何だあいつ」

中原がつぶやいた。

「どうした」

「いや、……来宮華音がよろけたような気がしたんで」

「俺たちも降りよう。華音を捕まえるんだ」

「待って、今降りるのは無理。群衆がすべて出てからじゃないと降り口はふさがっているし、機材を持って出るのは危険すぎるわ。万一けが人が出たりしたら大変なことになる」

人の流れを俯瞰しながら黒木は気が焦った。

命の調律

ミサが終わった翌日の早朝五時、黒木たちは眠る間もなくワルシャワフィルホールへ駆けつけた。会場入り口の重い扉を開けると、薄暗い天井にコーンコーンと打鍵される弦の音が響いている。コンクールの華やかさの陰で、調律というピアノメーカーの地道な作業が行われているのだ。

黒木たちは足音を忍ばせてステージ直下へ行き、チャイニィPの調律が終わるのを待った。

「早くやりなさいよ！　とっくに時間は過ぎているでしょう！」

遠慮のないアンナの声が暗いホールに響き渡った。審査が始まる九時前までに四台のピアノの調律が終了していなければならない。一台に与えられている時間は僅か一時間。もし調律に失敗したら、演奏者の成績を左右するだけでなく、メーカーの命取りにもなる。

チャイニィPの調律時間が押したため、カワイに与えられた時間は十五分ほど短くなった。

中原が手持ちカメラでその手順を丁寧に追う。調律している蒼井洋一の表情は厳しかったが、どうにか決められた時間内に終了し、次のヤマハに渡した。

蒼井が調律器具を納めたところで、黒木は遠慮気味に近づいてインタビューを試みた。

「お疲れ様でした。前が押していたので大変でしたね」

「ちょっと焦りましたが、調律は時間だけじゃありませんからね。簡単にいく時もあれば、どんなに時間をかけても駄目な時もあります」

「そういうものなんですか。大切なことはいろいろあると思うんですが、調律の仕事で最も重要なことって何でしょうか」

「一言で言えば良い音色を作り出すことです。良い音色と言っても様々ですけどね。わかりやすく極端な言い方をすれば、ソフトでまろやかな音であるとか堅くて鋭い音であるとか……ピアノの場合、弦を叩くハンマーヘッドの状態で微妙に音が変るんです。もちろん演奏者の叩く力によっても変わりますしね」

「このピアノはもともとこのホールに置かれているものですか？」

「いいえ今回、日本から運びました」

「え、コンクールのためにわざわざ日本から運ばれたんですか！」

「ピアノは生き物ですからね。早めにこちらに運んで湿度や気温にならしながらベストな状態を作っていくわけです」

「大変なことですね！」

「ま、五年に一度のことですし、同じ型のピアノと言っても、それぞれ個性がありますからね。今回はショパンコンクールですし、ショパンの曲はメロディーを歌いあげるものが多いですから、どちらかと言えば音量よりもむしろ音の質感や輝きに重点を置いて調整するように心がけました」

「いやぁ、調律の仕事は音程を合わせるだけだと想っていたんですが、実に奥が深い仕事なんですね」

黒木は溜め息をつき改めてピアノを見直した。

続いて、黒木はヤマハの調律が終わるのを待って、同じような質問をした。

「調律は毎日のことなんですか？」

「そうですね、コンクールが始まってから毎日ですね。何しろショパンコンクールには世界中から音楽の専門家が集まりますからね、私たち調律師の調整技術も評価されるので気が抜けません」

「普段どんなことに気をつけられていますか？」

「そうですね。演奏中も客席で音に集中して聴いていますし、聴きながら、あの音はどうだこうだと調整のことを考えたりしています」

「そうですか。調律の時だけではないんですね。ピアニストによって好みも違うんでしょうね」

「そうですね、ある有名なピアニストなんかはコンサートに専任の調律師を連れているくらいですから」

「じゃ今回も弾く人の好みに合わせて調整されているわけですか」

「本当はそうしたいんですが、そうもいきません。何人もの人が使用してくれますから、結局はスタンダードな調整にならざるを得ません」

「ピアノって本当にデリケートな楽器なんですね」

「ピアノに限らず楽器というのはそんなものです。会場の大きさ、細かく言えばその日の天候によっても音は変わりますから、神経を使います。調律に与えられる時間は短いし、それに一か月という長丁場ですからね。精神的にも体力的にも非常に過酷です。疲れたり体調が落ちたりすると調整にミスがでたりしますからね。うっかり風邪でも引いたらそれこそ調律どころではありません」

「いやー、体調まで関係あるんですか。そんなご苦労があるとは知りませんでした」

「どのメーカーさんも社運をかけて頑張っていますよ」

ショパンコンクールは出場者の競争であると同時に調律師の過酷なレースでもあるのだ。

華音は午前中、指定の時間にホールへ現れた。

ステージに並べられた四台のピアノを弾き比べ、自分が使用するピアノを選んで登録しておく必要があった。与えられた時間は十五分。華音は一応四台とも軽く触れたが、あまり時間をかけずにステージを下りた。

黒木は直ぐに華音を捕まえた。

「ずいぶん早かったですね。決まりましたか？」

「はい」

「どのピアノを選ばれたのか教えてもらってもよろしいですか？」

「カワイにしました」

「ほとんどの人がスタインウェイのようでしたが、カワイを選ばれた理由は？」

「スタインウエィの良さは知っています。でもカワイは鍵盤のタッチもアクションの感じも良いですし、音色や響きも他のピアノとそれほど違っているとは思いません」

「理由はそれだけですか？」

「私はカワイピアノと共に育ってきました。それに私は日本人ですから日本のピアノを選んだだけです」

「素敵なお答えと思います。メーカーが聞いたら泣いて喜ぶでしょう」

世界的なピアニストのリヒテルは「私はピアノを選ばない、悪いピアノなんてない、良くないとすれば演奏が悪いのだ」と言い切ったそうだが、コンクールに出場する若いピアニストではそうはいかない。まず自分の好みに合った優れたピアノを選ぶことが、重要な仕事の一つなのだ。結果は十二人中カワイが一人、ヤマハが三人、他の八人はやはりスタインウェイを選んでいた。

華音はピアノの選定を済ますと一旦ホテルに戻り、達彦と一緒に軽い昼食をとり、ひとり急いで楽屋へ戻った。オーケストラの指揮者との打ち合わせがあったからだ。オーケストラとの競演はソロと違いピアニストとしての音を聴く力、協調性がためされる。協奏曲の場合、オーケストラはむしろソリストの演奏を盛り上げる立場にあるが、まだ力量のない出場者は指揮者の意見に従うことになる。合わせる上で最も重要なのはテンポと曲に対する解釈だが、華音は指揮者の指示にほとんど疑問を持たなかった。むしろ導かれるようにオーケストラの音の波に乗ってみたいと思った。

特別の許可を得ていた黒木たちは、指揮者と華音の打ち合わせの様子を捉えるべく部屋の片隅にカメラを据えていたが、二人は譜面を見ながら、ピアノで音を採ることもなくわずか十分くらいで終わった。

部屋を出たところで華音に声をかけた。

「指揮者にはうまく思いを伝えることが出来ましたか」

「オーケストラとの競演は初めてなので、二カ所ほどテンポを相談しましたけど後は指揮者の指示に合わせて演奏するだけです」

「ショパンは協奏曲を二曲しか書いていませんが、二番を選ばれていましたよね。どうして二番を」

「二番が好きだからです」

華音は落ち着いた声でよどみなく答えた。

「好き、ただそれだけですか？　どんなところが？」

「どんなところ？　二番の方が先に書かれています。ショパンは二十歳の時、愛する人のことを想って書いたといいます。一番より演奏が難しいと言われてはいますけど、二番の方が純粋にショパンの思いが込められている気がするからです」

「どんな気持ちで演奏されますか」

「ショパンはピアノという楽器をよく知っていて心から愛した人だと思います。私もショパンのようにピアノと一体となって、愛する喜びや切なさ、感動を伝えられればいいなと思います」

「素敵ですね。期待しています」

「ありがとうございます」


指揮者に促されて華音はオーケストラとの音合わせに入った。

ステージには三日間、出場者のバックを務めるワルシャワフィルハーモニーオーケストラのメンバーが待っている。まだ私服のままで和気あいあいとした雰囲気だ。華音はメンバーに深々と頭を下げるとピアノの前に座った。指揮者がタクトを持って式台に上がると雰囲気は一変した。

演奏が始まる。

華音は目を閉じ、三分余の序奏を待って鍵盤に指を落とし、寄せてくる弦のうねりに乗って一気に雪崩れ込んでいく。

二カ所ほどストップがかかり指揮者から意見が出たが、華音は異議を挟むこともなく、求めに応じて演奏を修正した。

練習とは思えぬ熱の入ったリハーサルだった。

黒木はまた、ステージから下りてきたばかりの華音を捕まえた。

「初めてのオーケストラとの競演は如何でしたか？」

「とても良い気持ちでした」

「ソロとは違いますか？」

「ええ、なにか大きな力に支えられているようで、ソロよりもずっと気持ち良く演奏できました」

「それは素晴らしいですね。もっと緊張されているかなと思っていたんですが」

「まだリハーサルでしたから……本番ではお客さまも沢山いらっしゃいますし、きっと緊張すると思います」

「本番でもリラックス出来るといいですね。オーケストラとの競演を存分に楽しんで、素晴らしい演奏を聴かせてください」

「ありがとうございます。頑張ります」

ファイナル

黒木も夏恋も目はかすみ肩も首も固まっている。

「まだいっぱいあるの？」

「これからファイナルだからね。量はそれほどじゃないけど、少しスピードを上げないと予定通りには終わらないかも知れない」

ファイナルに入ると、さすがにポーランドTVもチケット売り場からクローク前、ロビーの混雑などにもカメラを向けている。

モニターを見ていた夏恋が声を上げた。

「達彦さんが写っている！」

「どこ？」

「ほら、ホールの扉の前」

「ああ、確かに……。チケット取れていたのかなぁ。相当早くから予約していないと手に入らないはずだけど」

「どうかしら。華音ちゃんはのほほんとしている人だから、チケットのことまでは気が回らないと思うけど……」

「……いずれにしても、達彦さんは華音さんが最後まで残ると確信していたということだ」

開演前のホールは既に超満員で、聴衆はパンフレットを手に演奏を待っている。

審査員が着席し始め、次第に熱気が上がってくる。後方の席には調律師やピアノメーカーの関係者が神妙に坐っている。

「あ、あの人がいる……」

夏恋が指さしたのはソフィアだった。

「確かに……、良く気がついたね。熱心なんだなぁ」

「ね、あの人コンクールにも出ていたんでしょう。華音ちゃんのこと知っていないかしら」

「それはどうかな。ウイーンから来ていると言っていたね」

「……会ってみたい」

「……」

黒木は雨のワジェンキ公園を想い出し、急に甘酸っぱい気持ちになった。

華音の演奏はファイナル初日の四人目になっている。

この日、黒木たちは会場の雰囲気を撮ったあと、演奏開始に合わせて楽屋通路に移動した。既にスチールやビデオカメラ四、五台が待機しており、中原は黒木の指示で、通路を俯瞰できる三階への階段の途中で待つことにした。やがて楽器を持ったオーケストラメンバーが通路に溢れ、ステージへの入り口へ吸い込まれていく。その後に残ったカナダのマイケル・コーエンが通路の端から端までを行ったり来たりしている。トップの出場者は入賞しないというジンクスは知っているはずで、その重圧は計り知れないことだろう。時折鏡の前に立つと蝶ネクタイを何度も直す。緊張が最高潮に達する。

MCのコールが聞こえ、彼は死刑台にでも上がるかのように、悲壮な表情のまま指揮者に促されステージへの扉に消えた。

マイケル・コーエンの演奏が三楽章に入ったところで二人目のロシアのエフゲニー・サハロフが控え室から出てきた。

彼も緊張を隠しきれずマイケル・コーエンと同じように通路を行ったり来たりしていたが、思いついたよう照明用ライトに両手をかざし温め始めた。

演奏が終わってエフゲニー・サハロフが青い顔でステージから降りてくる。すかさず黒木はマイクを向けた。

「オーケストラとの競演はいかがでしたか、いまのお気持ちをお聞かせください」

「兎に角終わってほっとしました」

「思い通りに演奏できましたか」

「いやぁ、オーケストラとの競演は初めてなので、上がりっぱなしで……必死でした」

「全ての演奏が終わりました。今のお気持ちは？」

「とにかくゆっくり眠りたいです」

「お疲れ様でした」

まだ小刻みに震えている手元を見て、黒木は深追いするのを避けた。

二番手のエフゲニー・サハロフが演奏を始めたばかりなのに、中国のリン・チャオヤンが控え室から出てきた。通路で不安そうに待っていた母親が駆け寄る。服装を正し、額の汗を拭き、後ろに回って肩を揉む。本人はなされるままで虚空を睨んでいる。一人で参加する出場者もいるのに、この甲斐甲斐しさは滑稽にさえ見える。

ＭＣの声が響いた。

「エントリーナンバー二六番、リン・チャオヤン、中国。演奏曲、ショパン『ピアノ協奏曲第一番ホ短調』、使用ピアノ、スタインウェイ」

リン・チャオヤンは不安そうに母親の方を見たが係員に促されてステージへ上がっていった。

ポーランドＴＶのビデオを見ると「使用ピアノ、スタインウェイ」とコールされた瞬間、客席後方にいた三人の男が慌てて席を立つ様子が写っている。

ファイナルでホールが沸きかえっている最中、華楽公社の販社では顔を真っ赤にした社長が大声を発していた。側の大型テレビに演奏するリン・チャオヤンの姿が映っている。

「スタインウエィだと！　なんでチャイニィＰではないんだ！　中国人なのに我が国のピアノを使用しないとは以ての外だ！　愛国心はないのか！」

「そう仰られましてもピアニストは自分の演奏に命をかけておりますから……やはり、なんと言ってもピアノは音色で……」

「だから何だ！　チャイニィPは最高の音色だと言ったのは誰だ！　全滅じゃないか！　公式スポンサーになって大金出しても、一人も残らないんじゃ、まったくどぶに捨てるようなもんだ。スポンサーなんか止めてしまえ！」

「リン・チャオヤンがまだ残っております」

「馬鹿いえ！　スタインウェイで入賞したって他メーカーの評価を上げるだけだ！」

「矢張り調律が駄目ではどんな名器もただのピアノになってしまいますので……」

「いい訳をするな！　うちには優れた調律師は居ないのか！」

「……残念ながら……」

「そこを何とかしろ！　スタインウエィからでも、日本のヤマハやカワイからでも引っ張ってこい、金はいくらでも払う！」

「……お気持ちは解りますが」

「これは我が社だけの問題ではない。チャイニィPで世界的なピアニストを誕生させ、中国ブランドの優れたところを全世界に知らしめることが我が社の使命なのだ！　公式ピアノに採用されていながら、ファイナルで一人も演奏する者がいないなんて恥をさらすだけだ！」

「……申し訳ありません」

「これまで中国から一位入賞したのはユンディ・リーくらいのもんだろう。チャイニィPで女の入賞者を出して世界をあっと言わせるのだ。特に日本に負けることだけは許されない！」

「そう仰られましても、今回はもうファイナルになっておりますから」

「ごちゃごちゃ言っていないで何とかしろ！」


四十分あまりの演奏を終えてリン・チャオヤンが自信なさそうに階段を下りてきた。

「どうでしたか。納得のいく演奏が出来ましたか？」

すかさず黒木が訊いたが俯いたまま母親の方へ歩み寄る。雑誌記者らが集まったが何の返答もなかった。


華音が控え室から出てきた。

「あら！　華音ちゃん素敵！」

ビデオを見ていた夏恋が声をあげた。

予選では黒で通していたのに、明るいオレンジのロングドレスを着ている。

「……きれいだ！」

取材時に見ているのに黒木も思わずため息を漏らす。

「華音ちゃんはいつもシックなのにとってもお似合い。ファイナルに進むことになったので、きっと慌てて買ったのね」

「自信がついて、その気になってきたと言うことだね」

華音はゆっくりとステージへの扉の前まで進むとスタッフの指示を待った。

リン・チャオヤンの演奏が終わってから間が空きすぎている。

次のビデオでその理由は直ぐに分かった。

前の三人がスタインウェイだったのに、華音は違っていたからだ。三人のスタッフがスタインウェイを下げ、入れ違いに上手奥からカワイピアノを押してくる。その間、聴衆はほっと一息入れ、オーケストラメンバーの中には席を外す者もいる。

スタッフ三人はピアノを中央まで運ぶと慎重に位置を確かめ、一人が残って蓋を開け、点検するように中を覗いて下がった。

黒木はテープを巻き戻すとまた見直した。

「どうしたの？」

「いや、ちょっと……、カメラを貸して」

黒木はピアノを移動するところから何枚も分解するように写真を撮った。


華音は待たされているうちに喉が乾いたのか、ステージ入り口の脇に常備されている紙コップを手にした。傍にいたスタッフの一人が慌ててボトルを取って注いでやる。華音は一口だけ水を含むとカメラに気づき微笑んだ。そこへＭＣの声が流れ始めた。

「エントリーナンバー三五番、カノン・キノミヤ、ジャパン。演奏曲『ショパンピアノ協奏曲第二番へ短調』。使用ピアノ、カワイ」

係員に促されて華音は薄暗い階段に足をかけた。八段上れば目が眩むような明るいステージが待っている。

華音と指揮者がステージに現れると、ひときわ大きな拍手が沸き起こった。華音は確かな足取りでピアノの傍まで行くと、オーケストラメンバーに軽く頭を下げ、向き直ると冷え冷えとした客席の暗さに深々と礼をした。そしていちど座った椅子から立ち上がり、いつもより一センチだけ高めにセットし直した。オーケストラの音量に負けない思いからとった行動だった。

実は控え室で待機している間も、譜面を読んだだけで側にあったスタインウェイピアノには触れようとしなかった。これから弾くピアノとの微妙なタッチ感の違いを避けるためだった。

静まりかえったホールの温度がどんどん下がり、頭上から冷気が下りてくるようだった。だが不思議と頭は冴え、心は静まりかえっていた。華音は両手の指を温めるように柔らかく包み込み、大きく一呼吸すると、指揮者に向かって軽く頭を下げた。

オーケストラの序奏が始まり、弦の響きがうねりとなって会場を包み込んでいく。じっと目を閉じ、全聴力を研ぎ澄まして三分余りの序奏が終わるのを待った。押し寄せるオーケストラの波に乗って、華音は鍵盤の上に指を落とし、一気になだれ込んでいった。心が、指が無心になって鍵盤の上を舞い始める。弾いているうちに華音は自分が三歳の頃、初めてピアノの鍵盤を押し、澄んだきれいな音に驚喜したことを思い出した。小さい頃から慣れ親しんだピアノは、もう華音の心と肉体の一部だった。

コンクールのこともステージにいることも忘れ、ただひたすらオーケストラと共に心地よい自分の世界へと入っていった。それはショパンと自分が一体となりオーケストラという穏やかな音の波に浮かび、たゆたっているようだった。デラゾヴァ・ヴォアの緑の庭で蝶々と戯れる幼いショパンと自分の姿が見えた。そして更にワジェンキ公園の林の中の美しい景色が見えた。ショパンが愛しい人を想いピアノを弾く姿が……愛する人に……愛する人のために……。ホール全体が澄んだピアノのゆりかごとなって美しい楽の音が聴衆を優しく包み込んでいった。

演奏が終わるまでのおよそ四十分間、黒木たちは何時ものように舞台裏のカフェで待機することにした。

カフェのモニターの中で、華音が瞑想するように薄く目を閉じ、ゆるやかに体を揺らしながら弾いている。

「なんて美しい！……どうだアントニー」

黒木はコーヒーを唇へ運びながら、仕事を辞めてしまったアントニーを想い出して、つい声をかけてみたくなる。恐らくアントニーもどこかで聴き惚れているのではないか。勿論、会場を埋め尽くす聴衆は、完全に華音が紡ぎ出す音に酔いしれている。

第二楽章が終わり、第三楽章に入った。オーケストラの音が潮が引くように静まり華音のピアノが美しい旋律を奏でる。……だが次の瞬間、ピアノの音が割れ、響きが変わった。

モニターを見ていた黒木は思わずコーヒーカップを落としそうになって立ち上がった。

華音の表情が変わった。一瞬の戸惑いがテンポを崩し、慌ててオーケストラを追いかける。華音がパニックに落ちたのは誰の目にも明らかだった。

完璧だと思われた演奏が一気に狂いだした。

そしてついに手が止まり、華音は鍵盤に顔を打ち付けるようにして椅子から転げ落ちた。

オーケストラの音が止まり、観客席が騒然となった。

指揮者が抱き起こし、事務局スタッフが駆けつける。

黒木は中原を促して、ちょうど反対側になる楽屋通路へ急いだ。

ステージ裏の暗くて狭い通路を走り、階段を上がり下がりして、着いたとき、華音はすでに運び出された後だった。

報道陣や関係者が集まってくる。黒木が控え室に近づこうとすると警備員に制止された。

「何が起きたんだ！」

「ピアノの事故なのか！

「来宮はだいじょうぶなのか！」

飛び交う声に、控え室から女性スタッフが顔を出し、

「何があったのかはまだ判りませんが、後で会見を開くことになると思いますから、皆さんは一旦引き揚げて下さい！」と叫んで引っ込んだ。

「華音が何処へ運ばれたか調べるんだ」

黒木たちは混雑する取材陣を押し分けるようにしてホールの外へ出たが、救急車らしい姿もなかった。楽屋へ戻ってきた黒木が、協会スタッフを捕まえて、

「記者発表は何時からですか」と訊いても、

「さぁ、何も聞いていません」と言うばかり。

「おかしいでしょう。重大な事故なのに何も説明がないというのは変ですよ」

カメラマンの中原が言い、傍にいた助手の山下まで口を出す。

「来宮華音が隣の鍵盤と二つ一緒に叩いたとか」

「馬鹿野郎。そりゃミスタッチの一つや二つはあるだろう、だがあれはそんなもんじゃない。お前みたいな素人に判るんだからよほどのことだ」

「なんで僕の能力が疑われるんですか。僕だって毎日ピアノ浸けになっているんです。それ位は判りますよ」

山下は不満顔になる。

「……ヴァイオリンなんかは演奏の途中で弦が切れるなんてことはあるけど、ピアノのトラブルなんて聞いたことがない。きっと何かあると思うね」

「少しばかり音が変わっただけで、ショックのあまり卒倒するくらいだから、やっぱりピアニストというのは神経が細いんですね」

「音に命を掛けているんだ、それ位のショックは受けるだろう。鈍感なお前とは違うよ」

「鈍感はよけいでしょう」

と山下がまたふて腐れる。

ピアノメーカーに衝撃が走ったのは言うまでもない。ピアノの不具合となればメーカーの致命的な命取りになる。勿論いち早く音の変化に気がついたのは、客席で祈るように耳を傾けていた調律師の蒼井だった。

仕掛けられた罠

すべてが退けた夜、調律師以下メーカーの関係者五人が秘密裏にピアノの周りに集まった。黒木たちも了解を得てカメラを持ち込んだ。

「何か調律に問題があったんですかね」と営業マンA。

「失礼なことを言うな。蒼井さんは調律では我が社を背負う世界に知られる調律師なんだぞ」

Bがきつくたしなめる。

「じゃ、ピアノの本体に何か欠陥があったんですかね」

蒼井は口をきつく結んだまま黙っていたが、音が割れて変調しているのは、演奏を聴いている時点で中央のE弦と断定していた。蒼井は鍵盤に近づくとE鍵盤を叩いた。澄んだ綺麗な音が響いた。

「確かにEの音だったはずだが……」

ピアノ内部を覗き込んでいた蒼井が響板の床に落ちていた太いU字型の針金を摘みあげた。

「これはなんだ？」

良く見ると他にも二、三個落ちている。

「……調律とは関係ないものだし、ピアノに使われている釘やネジ類でもないですね」

「調律の際、道具入れの袋からこぼれ落ちたなんてことはないですか」

営業マンAがまた不思議そうに呟く。

「君は本当に馬鹿か！　こんなものを一体何に使うんだ！」

みんなが苛立っている。考え込んでいた蒼井が、

「これ、こうやって弦に乗せたんじゃないかな」

とU字の針金を弦に跨るように乗せると、その鍵盤を叩いた。

「これだ！」

乗せたU字の針金が弦の振動で、激しく躍っている。

「この振動のお陰で音が割れたようになる。オクターブ下の鍵盤を叩いてもこの針金も共振する。倍音関係にある他の鍵盤でも当然振動が起こり音は濁ってくる」

「とんでもないことだ。一体誰がこんな仕掛けを……」

「ピアノが空いているのは調律を始める前……、真夜中……」

「それはないでしょう。だって調律時にばれてしまうじゃないですか」と営業マンB。

「調律後は直ぐに演奏ですからねぇ」

「と言うことはピアノを入れ替える時……」

「針金を乗せるだけなら簡単ですよ」

「待って下さい。それじゃ演奏を始めればすぐに分かるはずです」

蒼井は頸を傾げ、E弦の周囲を調べ始めたが、弦の張力を支えるアームの裏側に、粘着テープを貼った痕のようなものを見つけた。

「これだ。テープで吊っていた針金が、演奏の振動で徐々に剥がれていき……落ちる……」

「なるほど。考えられなくはないですね。跡を残さないために、騒ぎの最中に取り払ったんでしょう」

「ということは、矢張りピアノを交替する時に……」

「明らかに故意にやったものでしょう。しかし、だれがこんなことまで……」

「考えられなくはありませんよ。出場者も、メーカーも、国も威信をかけている訳ですから、もし悪意が働けばやりかねません」

「公衆の面前ですよ。そこまでやりますかね」

明らかに、演奏者をおとしめ、同時にカワイピアノの信用に決定的ダメージを与えることを狙ったのは明らかだ。

「もし陰謀だとしたら、これは重大な事件です」

「問題を大きくする前に、仕組みを明確にし、証拠を固める必要があります」

「こんな小さな針金を認めるだろうか」

「認めるも認めないもない、黙っていたのではカワイの信用はガタ落ちです」

「もし問題が大きくなったら、コンクールの継続さえ危うくなるんじゃないですか」

「演奏はまだ二日残っています。来宮さんの再演奏は認められたんですから、同じこのピアノで、もう一度完璧な演奏をしてもらい、カワイピアノに欠陥がないことを証明するべきでしょう」

蒼井はあくまでも冷静だ。

「そうだ。一応この状況は事務局に報告するとして、蒼井さん、調律をお願いします」

「調律には時間が指定されているから今やるわけにはいかない。明日早朝の決められた時間に行いましょう」

蒼井の強い言葉にみんなが頷いた。


ファイナル最終日の早朝、コンクール事務局では大混乱が起きていた。二日目は何事もなく順調に進んだものの、深夜になって審査員のイワノフ教授が、自動車事故で死亡したからだ。そのことを知らないカワイ側は、朝早くからピアノ事故の原因を直訴するために来ていた。

「勘弁してください。それどころではないんです。審査員が亡くなったんですよ。兎に角、今発表するのは控えてもらえませんか。もし事件の疑いがあるとなれば、ことが面倒になります。コンクールは終わったわけではありませんし、もしマスコミにでも知られたらコンクールどころではなくなります」

「じゃ、わが社の信用はどうでもよいと言うことですか！　これはピアニストや我が社を狙った明らかな陰謀です！」

「ま、待ってください。もし仰るように陰謀だとしたら、きちんとした証拠が必要です。そうなれば警察沙汰にもなるでしょう。それではコンクールはもうガタガタです。とにかく何か良い対策を考えましょう」

「どんな対策ですか！」

「それは……再演奏を認めると公に発表されているのですから、そこは……単純なピアノ事故とピアニストの体調不良が重なったとか」

「納得できません」

「お願いです。カワイピアノの優秀性は既に全世界に知られていますし、今回のトラブルくらいで信頼が失墜するとは思われません。コンクールが終わった段階で、公式のコメントを発表しましょう」

やりとりを黙って聞いていた蒼井が口を開いた。

「兎に角、再演奏に全力をつくしましょう。ただし、ピアノは前回と同じものであることを、聴衆やマスコミに、はっきりと伝えてもらいます」

「分かりました。演奏前のＭＣにも必ずそう伝えさせます」

これで事件が解決した訳ではなかったが、カワイ側は一旦引き下がることにした。


大混乱の中、コンクールは二人の演奏を残すだけとなった。

「エントリーナンバー十二番、ユゼフ・カミンスキー、ポーランド、『ピアノ協奏曲第一番ロ短調』、ピアノ、スタインウェイ！」

カミンスキーが登場すると、もう優勝したかのように割れんばかりの拍手がホールを揺るがす。何十年ぶりかの天才出現とあって、ポーランド人の期待を一身に集めているのが拍手にも現れている。カミンスキーがピアノの前に座ると、聴衆はかたずを飲んで見守る。やがてオーケストラの弦の響きが会場を包み込み、序奏を待っていたカミンスキーが鍵盤に指を落とす。その気品と優雅さあふれる演奏は、聴衆を陶酔の極みへと誘っていく。

そして四十余分の演奏は終わった。

鳴りやまない喝采の嵐にカミンスキーは三度もステージに上がり声援に応えた。

残るは華音の再演奏だけとなった。

ステージではピアノがスタインウエィからカワイピアノに交替され、ＭＣの声がホールに響く。

待っていたかのように盛大な拍手が沸きあがった。

だが、華音はまだ控え室通路にも姿を現わさない。

「来宮華音はどうしたんですかね」

中原が心配そうに黒木に話しかけるとカメラ助手の山下が、

「時間を間違えたんですかね」

「馬鹿、こんな大事なことを間違えるわけないだろう」と中原。

「じゃ、忘れてるんですかね」

「ほんとにくだらんことしか言えないんだなお前は。黒木さん、これは大変なことになりますよ」

「うん、おかしい。何かある」

事務局スタッフ全員が、控え室からトイレ、ロビーなど探し廻ったが見つからない。事態を察したマスコミの連中が楽屋になだれ込んだ。

騒ぎをよそに華音は姿を見せることはなかった。

結局、華音の再演奏は打ち切られ、残るは入賞者の発表を待つだけとなった。

いつものことだが発表は二時間も遅れ、審査員全員と委員長が螺旋階段を下りてきたのは深夜の二時近くだった。待ちくたびれていた会場がどっと沸いた。

ポロネーズ、マズルカ、コンチェルトの三賞をポーランドのユゼフ・カミンスキーが独占。続いて六位からの発表が続く。

「六位、リン・チャオヤン、中国」

一瞬、えーというような声が上がった。

「五位、カルロ・パデレフスキ、ポーランド！」

「四位、パク・ヒョンジェ、韓国」

「三位、エフゲニー・サハロフ、ロシア！」

「二位、マイケル・コーエン、カナダ！」

「一位……ユゼフ・カミンスキー、ポーランド！」

三十年ぶりにポーランドから一位入賞者が出たとあって割れんばかりの歓声が上がり、ポーランドの祝歌スト・ラットが鳴り響いた。

それにしても、来宮華音について何一つ言及がなかったのは不可解だった。

発表が終わって黒木は近くにいた中国のリン・チャオヤンを捕まえた。

「入賞おめでとうございます。いまのお気持ちは」

「六位というのは納得できません。第一楽章ではまだ乗り切れていないところがあったけど、二楽章、三楽章は自分としては最高の出来だったと思っています」

リン・チャオヤンはワルシャワのショパン音楽院に在籍しており、オーケストラとの競演には相当自信をもっていたようだった。

同じ学校で学んでいたというカナダのマイケル・コーエンは、

「楽しかったのは三次予選までですね。オーケストラとの競演は初めてなので矢張り大変でした。もうパニック状態で……ミスもあったので、入賞できて少し驚いています」

選外だった香港のシュウ・リンリーは、

「音楽を聴くのが大好きですし、オーケストラとの共演は憧れていたので夢のようで、とても楽しかったです」と明るい表情で振り返った。

黒木はやっとユゼフ・カミンスキーの輪に近づいたが、祝福で混雑する人垣に分け入ることは出来なかった。本来なら一位入賞を果たした来宮華音に突撃するところだった。その後も華音の行方は依然として不明のままだった。


大詰めを迎え、ワルシャワフィルハーモニーホールは華やいでいた。だが、その裏側では、ＭＴＢ音楽事務所の吉村プロデューサーが、事務局の責任者に食らいついていた。契約問題がまだ解決していないのだ。

「なんとかまとめて頂けませんか。我が社の運命がかかっているんです」

「あなたが大変なのは分かります。ですが今日は人手が足りなくてこちらも大変なんです」

「この話がまとまらなければ、我が社は本当に倒れてしまうんです。お願いします」

吉村はひれ伏さんばかりに頭を下げる。

「そう言われましても協会はそこまでの権限はありませんからね。ピアニスト本人の了解がなければどうにもなりません」

「最初にお話しした時は、まとめましょうと仰っていたではないですか。これまで大いにご協力してまいりました。この話がまとまらなければ今後協会に対するご支援も難しくなります」

「……ガラコンサートの件なら、みんなも問題なく喜んで応じてくれると思いますよ、ですがＣＤや出演の独占的契約となりますと、本人はもとより、育て上げた先生方や家族など、関係ある人たちの了解も必要ですからね」

「そこのところをまとめて頂くのが協会の力ではありませんか」

「協会はショパンの音楽を継承する優秀なピアニストを発掘し、守り普及のためのコンクールを開催管理するのが仕事です。個人や企業との契約などを斡旋するところではありません。どうしてもとお考えなら、企業対個人の契約として個別に交渉されては如何でしょうか」

「今回の入賞者全員のパッケージが必要なんです。でなければ仰るとおり、個別の交渉で済みます。ですがメーカーが求めているのは、第十五回の入賞者全員というのが条件なんです。番組制作もスポンサーのＭ＆Ｔ社提供であり、もし契約がまとまらなければ放送も打ち切りになり、費用の出所を失うことになります」

吉村は必死に懇願を繰り返したが、協会側は困惑するだけだった。見通しの暗い様子を感じ取った代理店は、これを機に大手の音楽事務所に鞍替えしようと画策していた。

ステージには入賞者が勢揃いし、客席後部には各国の取材カメラが並んだ。黒木は表彰式の撮影を中原と助手に任せ、サブカメラを持ってアンナと楽屋通路へ向かった。

明るく華やいでいるホールに比べて楽屋裏はひっそりとしている。

アンナが「大統領よ」と黒木に囁く。屈強なガードマン二人に守られてポーランド大統領がそわそわしながら出番を待っている。大統領までの距離は三メートルもない。黒木が頭を軽く下げてカメラを示すと大統領はニッコリ笑みを返した。

大統領が登壇すると会場に割れんばかりの拍手が湧き起こった。やはりショパンコンクールは、ポーランド国家の五年に一度の大イベントなのだ。三年前、モスクワでのチャイコフスキー国際コンクールの時には、プーチン大統領がステージに上がって挨拶をした。その様子を取材し、ニュース素材として日本へ送ったのも黒木だった。

入賞者の表彰が次々に行われ、最後に日本からの特別賞として『関東テレビ局賞』がユゼフ・カミンスキーに贈られた。番組を制作提供するTV局にとって、欠くことの出来ないハイライトシーンなのだ。その他特別賞には各種団体やピアニストの名前を冠にしたものなど二十あまりある。

最後に上位入賞者三人の演奏が披露され、このシーンをもって一か月余りの長い撮影は終わった。

だが、スタッフがほっとしているところへ吉村が青い顔で近づいて来た。

「明日夕方の七時からS宮殿で入賞者祝賀パーティが開かれるので、そちらも撮ってくれないか。関東テレビの専務が出席して挨拶するそうだから。協会には許可は取ってある。……あ、それからその格好じゃまずいから正装で出席してくれ」

予定にない話だったが、プロデューサーが契約問題で必死になっているのは察しがついた。

翌日、スタッフは正装して宮殿へ向かった。豪華なシャンデリアに照らされた広間は、入賞者と関係者で埋まっていた。特設されたステージに上がった協会理事のあいさつに始まり、協賛スポンサーが提供する表彰に移り、大部分がカミンスキーに集中する。一位入賞者は数々の賞金とともに多くのコンサートの機会を手に入れることになる。矢張り一位入賞というのは、ピアニストへの輝ける未来への扉を開ける鍵となるのだ。

グラスを持っての歓談が始まり、スタッフは群衆の間を縫いながら入賞者たちの姿を撮り続けた。黒木は近くにいたロシアのエフゲニー・サハロフに近づいて声をかけた。

「入賞おめでとうございます。素敵な晩餐会ですが今のお気持ちは？」

「とても穏やかでゆったりした幸福感を味わっています」

「今回のコンクールについて何か印象なり、感想なりありますか？」

「そうですね。残念だったのは私が一位に入賞できなかったことですかね」

彼は冗談めかしく言って笑った。

「三位でも大変なものですよ。オリンピックで言えば銅メダルですよ」

「いやぁ金メダルと銅メダルじゃ大きな違いです。コンクールは沢山ありますし、入賞したというピアニストはいっぱいいますからね。ただ入賞したと言うだけではピアニストとしては生きていけませんん」

「来宮華音さんのことで何かご感想はありますか？」

「とても残念に思っています。彼女は一次予選の時から注目していました。なぜ再演奏に現れなかったんでしょうかね。ピアノの事故だということははっきりしていたし、演奏していたらきっと一位に選ばれていたかもしれないですよ」

「観客からの支持も大きかったですからね……。彼女と親しくしていた人はいませんでしたか」

「さぁ、みんな注目はしていたけど彼女は余り社交的ではなかったようだから」

「そうですか。……これからのあなたの音楽生活は何か変わりそうですか？」

「いやぁ大して変わらないでしょう。銅メダルでは満足はしていません。もっと練習をして二年後のチャイコフスキーコンクールで金メダルを目指します」

「いいですね。ぜひ金メダルを獲ってください」

黒木は四位だった韓国のパク・ヒョンジェを探し出して声をかけた。

「入賞おめでとうございます。今のお気持ちは如何ですか」

「ほっとしています、と言うか半分残念な気持ちです」

「というのは？」

「出来ればもうちょっと上に、ね」

「そうですか。でも世界の数百人の応募者の中での四位ですよ」

「でもねぇ……」

「そりゃそうでしょうけど……。日本の来宮華音さんとは交流はなかったですか」

「挨拶したことはあるけど、それくらい……」

「誰か彼女と親しくしていた人は居ませんでしたか」

「さあ、あまり……気が付かなかったけど……」

最後に黒木は中国のリン・チャオヤンを捕まえ同じことを訊いた。

「知らない。所詮ライバルだし興味もなかったし」

六位に終わったのが余程悔しかったのか素っ気なかった。

黒木は華音に繋がる人物をなんとかして探し出したい一心で会場を見回した。その時、ガチャン！とグラスの割れる音が響いた。みんなの視線が一点に走った。

「おい、中原！」

カメラを回しながら人混みの中へ押し入ると、カミンスキーが仰向けに倒れていた。

会場は騒然となり救急車の音が近づいて来た。

カミンスキーの事故については、コンクールが終わった開放感から、つい酒に酔って倒れたらしいと言う噂が流れた程度に終わった。

華音が黒木によってワジェンキ公園の森の中で死体となって発見されたのは、それから三日後のことだ。

≪第二楽章≫

ひとつの疑惑

すべてのビデオチェックが終わった。

目が痛い、首が痛いと不平を言いながら、夏恋は結構楽しんでいるようだったが、黒木にしてみれば二番煎じの感は否めず、編集作業より辛いものがあった。華音の写る新しいカットの発見も多少はあったが、自殺に繋がるような手がかりの一つも見つかっていない。

翌日、街の写真店に頼んでおいたプリントが上がってくると、黒木は夏恋の部屋でテーブルに写真を広げ、改めて見直した。

「達彦さん、ファイナルの会場には居なかったみたいね」

「達彦さんを狙って撮ろうなんてカメラマンが居るはずないよ」

「でも華音ちゃんが倒れた後、探し回ったとかいろいろ言っていたでしょう」

そんなことより黒木の疑問はピアノ事故についてだった。ピアノに触れられるのは調律師以外にはピアノ交替要員の三人だけのはずだ。深夜に潜り込むことも不可能ではないだろうが、警備員が見廻っており、建物のすべての扉は鍵がかけられているのだから簡単ではない。とすると最初にピアノに触れられるのは、早朝の調律師四人とその関係者だけだ。だがメーカーから送り出されている調律師がいかに張り合っているとは言え、他社のピアノにダメージを与える細工をするとは考えにくい。もし細工をするとしても調律が完了した後でなければ意味がない。とすると考えられるのは矢張りステージでのピアノ交替時だ。

黒木はピアノを移動する三人の写真を見詰めながら、そのうちの一人に何処かで遇っていたような気がしていた。

どこでだったのか？

「黒木さん何考えているの」

「いや、ちょっと……」

思い出せないまま写真を片づけると自分の部屋へ戻った。


夕方、ホテルのロビーでアンナたちと待ち合わせ、一緒に夕食を摂ることにしていた。ワルシャワでも最も賑やかな新世界通りまで歩いた。ホテルから電車道を渡り、商店街の細い道を抜けていけば十分もあれば着く。

カフェレストランへ入るとすぐにワレサは言った。

「どうだ、何か分かったかい」

「いや、まだこれというものに出会わない」

黒木は頭を振った。

「今更そんなことを調べてどうする気だ？」

「……知りたいだけなの。納得したいんです」

夏恋が思い詰めたようにワレサを見る。

「気持ちの問題か。何か分かったところで華音が生き返る訳じゃないだろう」

「ワレサはデリカシーがないんだよ。家族にとっては大事なことなのよ。ね、夏恋」

とアンナがかばう。

「まあいいさ、俺だって出来る協力はする。で、これからどうするつもりだ？」

「華音さんに関わりのあった人が居ないか探してみるつもりだ」

「うーん、雲を掴むような話しだな。みんな国へ帰っている訳だし」

「これを見てくれ」

黒木はピアノを入れ替える場面の写真を数枚取り出した。

「ワレサはこの男を見たことないか？」

黒木が指さす男の顔をじっと見詰めていたが、

「……この男？……うーん、待てよ、何処かで見たような……そうだ、ステージの上だ」

「なによ、そのまんまじゃない。ステージ以外でよ！」

アンナが口を尖らせる。

「コンクール事務局のスタッフじゃないか。……で、この男が何だ」

「何処かで見掛けたような気がしてならないんだ」

「同じホテルに泊まっていて何度か玄関で出会っているとか」

「いやそんな単純なことじゃない。もっと……特殊な場所……」

「特殊？」

「それが判ったところで華音と繋がるとは決まらないじゃないか」

「調べなきゃ何とも言えないさ」

「その人物なら事務局に訊けばすぐ判るんじゃない。多分ショパン音楽院のアルバイト学生か一般のボランテイアだと思う」

想いの他アンナは楽観的だ。

「頼むよ。ピアノ事故と華音さんの自殺とは繋がっているような気がしてならないんだ」

「華音ちゃんはピアノの事故くらいで自殺なんかする人ではありません」

夏恋は厳しく言い放つ。

「自殺かどうかは別にして、いま必要なのはピアノ事故が何故起きたかだ。何か陰謀があって、華音さんも巻き込まれたんではないかと考えられなくもない」

「……警察は自殺と断定したんだからな……」

ワレサが真剣な顔で考え始める。

「待てよ……。コンクールではいろいろな噂もあった」

「また探偵の噂話か」

「まぁな。公式ピアノの認定で中国のピアノメーカーと一部の審査員との癒着があって、賄賂が渡っているんじゃないかとか……。調律師も一枚噛んでいるんではないかとか……」

「華楽公社と審査員イワノフ教授……。教授は交通事故で死んでいるし、それに調律師とピアノ係の男……、更にピアノ事故と華音の自殺……」

黒木が目を閉じて考え込む。

「ねえ、ちょっと考え過ぎじゃない。疑ったら切りがないよ。こんがらがって訳わからない」

アンナが音をあげ、謎は増えていくばかりだ。


翌日、黒木と夏恋はワジェンキ公園へ向かった。

ビデオチェックから開放されてほっと一息ついた夏恋が、華音が亡くなった場所をどうしても見たいと言いだしたからだ。ちょっと刺激が過ぎるのでは、と黒木は沈黙を守っていた。

二人はショパン像を見た後、落ち葉を踏みしめながら森の中へ入っていった。犬を連れた老夫婦や腕を組んだカップルがゆったりと足を運んでいる。二人は高い梢から洩れる陽の光を浴びながら黙って歩いた。黒木は横たわる華音の姿を想いだし、夏恋は心の痛みを抱いて歩を進めた。夏恋は前を歩く黒木の手を握った。黒木も黙って握り返した。

深い森と静けさが二人を異次元の世界へ誘っているようだった。記憶を辿りながら何度も立ち止まり辺りを確認していた黒木が繁みを抜け大きなカエデの木の前に立った。

「ここだよ」

「こんな淋しいところで……」

夏恋は震える声でそう言って、用意していた花を供え手を合わせると、こらえ切れず顔を覆って泣いた。

時折、チッチッと鳴く鳥の声が聞こえ、梢を渡る風の音とともに二匹のリスが戯れながら走っていく。黒木はリスの後を追いかけたソフィアの姿を想い出していた。

二人はなだらかに続く散歩道を辿りながら、ショパン像のある池の辺りへ戻ってきた。

「少し休んでいく？」

「ええ、疲れたわ」

二人は言葉少なに近くのベンチに座った。黒木はまた、かつてソフィアと二人で座ったことを想い出していた。目の前に池の淵に建つショパン像と奥深い森が広がって見える。家族だろうか五歳くらいの男の子と乳母車を押した若い夫人が、時間が延びたようにゆったりと歩いているのが見える。

「こんな淋しいところで、華音ちゃんはひとり何を考えながら歩いたんだろう」

「この公園はワルシャワ市民にとっては憩いの場所なんだ。ショパン像があるせいでコンクール参加者だけでなく一般の観光客なども多くやって来るところなんだけど、よほど時間がない限り、森の奥まで散策したりする人は少ないんじゃないかな。僕もそうだった」

「きっと華音ちゃんは何かに誘い込まれてしまったんだわ」

その時、ショパン像の直ぐ背後の林から、赤いジャージ姿の男が駆け上がって来るのが見えた。ジョギング中らしい。何気なく見ていた黒木が急に立ち上がった。

「そうだ！」

「どうしたの」

「いや、思いだした！　あの時の男だよ」

「あの時の男？　今の紅いジャージの男？」

「いや、ステージでピアノを移動させていた男だ！」


あの日、黒木はソフィアとベンチに座り、ショパン像を眺めながら話し込んでいた。そこへ緩んでいた空気を突き破るように森から一人の男が駆け上がってくるのが見えた。スーツ姿の男は立ち止まって息を切らしてしゃがみ込んでいたが、しばらくすると立ち上がって服装を正し、ゆっくりした歩調で公園の外へ歩き去っていった。その時には、黒木は森の中をジョギングのつもりで駆け上がって来たんだろうと全く気にしなかった。だがいま考えてみると、スーツ姿でジョギングというのはおかしい。彼を見かけた後に華音の死体を発見したのだ。

ゆったりした風景の中で一人だけ場違いなテンポで動いていたので、黒木の記憶の底にとどまっていたのだろう。あの時のジョギングの男とピアノ係の男が重なった。

「ね、その男って本当にピアノ係の男なの」

「他人の空似かも知れないし、華音さんの死と繋がるとも限らない」

「じゃ意味がないじゃない」

「いや、念のためにその男を見つけ出して話を訊いてみる価値はある」


その日の夜、黒木とアンナたちはいつもの新世界通りにあるカフェレストランに集まった。

「ピアノ係の男なら直ぐに判ると思うわ」

「本当ですか」と夏恋が乗り出す。

「スタッフは全員協会で採用したはずだから記録が残っているはずよ」

「そりゃいい、直ぐ紹介してくれるかな」

「知っている子がいるから、そちらを通して掛け合ってみる」

「頼む」

「だけど黒木、これは人権にかかわることだから、慎重にやらなきゃ面倒なことになるぞ」

「判ってる。コンクールの番組企画で、いろいろ情報を集めたい、ということにする」

「その方が好い。俺も探偵ごっこは好きだが後腐れのないようにしておかないとな」

「うんそうするよ」

珍しくワレサが慎重になっている。

翌日、黒木と夏恋はアンナに案内されてショパン協会のあるオストログスキー宮殿を訪ねた。堀切のような道路の高い石垣の上に建っている古い館だ。一、二階はショパン博物館になっていて、三階にはミニホールがあり、コンクールの期間中には出場者によるコンサートも開かれたりする。

黒木はカラオケ制作の折、ＣＭの撮影でこの城の三階を借りたことがあった。そんな話をしたら憶えていた職員は思いの外簡単に応じてくれた。日本はコンクールに多くの支援をしているので、むしろ好意的といって良かった。

「実は二〇一〇年のショパン生誕二百年の企画を考えているんですが……」

「ピアノ交替要員だった方々にも話が聞けないかと思って」

とアンナが写真を出すと職員はチラリと見て、

「協会のスタッフじゃないですね。……ヘレナ、ちょっと来て」

奥から出てきた若い女子事務員に、

「この人誰だか判る？」と写真を渡す。

「この人？……、ボランティアかアルバイトの学生ですね」

「誰だか分かりますか？」と黒木が訊く。

「さあ、記録を見れば……」

「教えて頂けませんか」

「……ちょっとお待ち下さい」

事務員は一瞬躊躇したが棚から書類を持ってきて開いた。名簿には数人が写真付きで残されている。

黒木は記録台帳に貼られた一枚の写真を見るなり、ワジェンキ公園で見かけた男と同じだと確信した。

名はエドワルド・オルテス、二三歳、ショパン音楽大学研究科二年生、ピアノ専攻、出身国は中国とだけ書かれている。

「どんな人物か分かりますか」

「そこまでは……、コンクールの一時的なスタッフですからね」

「そうですか……」

「じゃよろしいですか」

事務員は忙しそうに席へ戻っていった。


ショパン協会を出ると三人はその足で直ぐにショパン音楽大学を訪ねた。

出入りする数人の学生を捕まえて訊いたが、誰もそんな学生は知らないと言い、受付で応対してくれた事務員は、学生名簿を見ながら三か月前に退学していると言った。

「退学の理由は何だったんでしょうか？」黒木が訊いた。

「……詳しい事情は分かりません。……決して裕福な学生ばかりじゃありませんし、いろいろなことで悩んだ挙げ句、途中で自主的に退学していく学生も中にはいますから」

結局ここでも話は進展せず、三人は音楽大学から外へ出た。

「ピアノを勉強するのもそう簡単じゃないのよ。退学するくらいだから相当な事情があったんでしょう。……彼が住んでいたアパートの住所が分かっているけど、どうする？」

「ぜひ行きたい。遠いの？」

「ワジェンキ公園のずっと奥の方だけど、車でなら、くるっと回って二十分位かしら」

「お願いします」

夏恋が哀願するように言った。


樹木の生い茂る住宅街の一角に男のアパートはあった。

突然の来訪に、はじめはキョトンとしていた六十がらみの夫人は、オルテスのことを訊ねると冷めた表情で、

「昨年の終わりに国へ帰ると言って出ていったよ」

「え、国へって、中国へですか？」

「そりゃそうでしょう。その先のことは何を訊かれても知らないよ」

と言うなり、まるで押し売りでも追い出すように扉を閉めた。

翌日の夜、黒木たちはアンナに一軒のレストランに連れて行かれた。

「素敵ね。この店には良く来るんですか？」

夏恋が広い店内を見渡す。結構客が入っている。

「観光客に人気の店なの。地元の人はあまり来ないわね」

奥のステージでピアノの演奏が始まる。曲はショパンの『ノクターン第一番変ロ短調』だ。

「とても素敵な雰囲気。ショパンの故郷にいる感じ」

夏恋は目を閉じてピアノの演奏に耳を傾ける。アンナが黒木の耳に囁いた。

「ね、似ていると思わない」

「うん？……」

「昨日、音楽大学の講師をしている知人に会ってみたの。そしたら確かではないけど、似た男はいるけどって教えてくれたの」

黒木は急いでポケットから写真を取り出した。みんなの視線がピアノの男に向かった。

夏恋の方が先に声をあげた。

「写真の男よ！　髭を剃ったらきっとそっくり！」

「うん、違いない！」

黒木が立ち上がろうとするのをアンナが制した。

「まって！」

そう言うとアンナは男が演奏を終えて立ち上がったところで声を掛けた。

男は素直に席へやって来た。

「素晴らしい演奏でした。聴き惚れていました」

黒木は興奮をおさえながら言った。

「ありがとうございます」

男は単なる観光客と思ったのか微笑みながら挨拶した。

「よかったらお座りなさったら。お店じゃまずい？」

「いいえ、そんなことはありません。では……」

男は素直に椅子に座った。

「もしかしてオルテスさん？」

男は一瞬ドキッとしたようだが、小さく頷いた。

「捜していました」黒木は素直に言った。

「……なにか……」

「中国の方なんですか？」

「……ええ」

「オルテスさんなんて中国人にしては珍しいお名前ですね」

「まあ、……母方は中国ですが祖父がロシア人でしたから」

アンナと黒木は顔を見合わせた。

「そうでしたか。あなたは国へ帰られたと聞いていたので、もう会えないんだと諦めていました」

「……私に何のご用ですか？」

「コンクールの時、ステージでピアノの準備係をしていましたよね」

「……」

黒木はステージの写真を出して見せた。

「これは貴方ですよね」

オルテスはちらりと見て直ぐに目をそらせた。

「間違いありませんよね」

「……ええ……わたしです」

黒木に強く言われ、オルテスは観念したように小さな声で認めた。

「貴方もコンクールに応募されていましたよね。なのに何故、ピアノ係に？」

「……私は一次予選通過がやっとでした。私などとても入賞できるレベルではないと実感しました。でも……みんなの演奏をもっと聴きたかったし、スタッフが足りないことは聞いていましたから、ある人に相談したら直ぐにピアノ係に採用されました」

「それでは来宮華音の演奏を間近で聴かれたはずですが、彼女の演奏はどうでした？」

「この人は来宮華音の妹なの」

アンナの言葉にオルテスは一瞬、え！　と言った表情を見せたが深く視線を落とした。

「ご存じのようにピアノ事故が起き、自殺という悲しい結果になってしまいました。あなたはその結果を見てどう思いましたか？」

「……実にお気の毒なことだと……運が悪かったというか……」

「そうですか、事故は偶然に起きたということですね。……ところで来宮華音の死体が発見された日、あなたはワジェンキ公園に行っていませんでしたか？」

黒木がずばり切り込んだ。

「え、私がですか！」

オルテスは顔を上げると黒木を見据えた。

「実は偶然にも貴方を見掛けた人がいたのです」

「だれですか？」

「私です」

黒木の即答にオルテスは動揺を隠せなかった。

「実は来宮華音の死体を発見したのは私なんです。発見する数分前ショパン像の側で貴方を見かけました」

「え、本当に私ですか、人違いではないですか」

「あなたの写真を見ていて、はっきりと思い出したのです」

「……」

「違いますか？」

オルテスは下を向いたまま黙った。そこへ女性店員が近づいてくるとオルテスは救われたように直ぐに立ち上がって、

「演奏の時間なので。終わりましたらまた……」

といってピアノまで行き、座ると天井を見据えた後、ゆっくりと演奏を始めた。明らかにテンポが乱れ、心の動揺と葛藤しているかのように思えた。

「そんなに悪い男には見えないけど、何かを知っていることは確かだね」

「私もそう思うわ。隠している」

「早く終わらないかしら、次の話を聞きたい」夏恋も落ち着かない。

「重要な手懸かりが一つ見つかったけど、他に何か考えられないかな」

「そうね、出場者が一番だけどみんな帰国しているしね」

三人は落ち着かない頭をひねりながら演奏が終わるのを待った。

三十分経ってやっと演奏が終わった。

オルテスは拍手を貰いながら一旦奥へ消えた。しかし、なかなか姿を現さない。

「時間かかっているのね」と夏恋が氣が急くように言う。

「トイレにでも行っているんだろ」

「こんなに長いトイレは女だってないよ」

アンナはしびれを切らしてカウンターへ行き、支配人らしき男と話していたが、険しい表情で戻ってきた。

「帰ったんだって」

「しまった、逃げられたか」

黒木が立ち上がった。

「まだそんなに遠くへは行っていないはずだ。探してみる」

「だめよ！　この人混みじゃもう無理よ」

「じゃまた明日来ましょう」

と夏恋が悔しそうに言うとアンナが座りながら、

「週に二回だけらしいのよ。……三日後ね」

「三日もかー、支配人は彼の住所を教えてくれないかな」

「それは止めたが良いよ。かえって警戒されるわ」

「残念だな……折角尻尾を掴んだと思ったのに」

「それまでどうする黒木さん？」夏恋が途方に暮れる。

「逃げたりはしないと思うわ。……そうだ、ね、少し気分転換でもしない」

「……」

「明後日の午後なら私も時間とれるから、良いところへ案内するわ」

「どこへ？」と夏恋。

「それは内緒」

「やだぁ、アンナさんまで意地悪！」

三人は外へ出ると冷たい風に身をすぼめながら別れた。


ショパンのオルガン（ヴィジトカ姉妹教会）

翌々日、黒木と夏恋は教えられていたヴィジトカ姉妹教会の前でアンナと落ち合った。表通りから少し下がった場所にある古い教会だ。第二次大戦によってこの辺りはほとんど破壊されたが、この教会だけが奇跡的に免れたという。

「ここの牧師さんには随分前から親しくしてもらっているの。ちょっと待っていて」

アンナは二人を表に待たせて中へ入っていったが、直ぐに八十歳くらいの牧師を連れて出てきた。

「さ、どうぞ」

牧師に案内されて中へ入る。それほど大きくはないが十八世紀に後期バロック様式で建てられた教会で、白壁の美しい空間が広がっている。牧師は祭壇とは反対側にある、一人がやっと通れるほどの狭い階段口へ案内した。当時のままと言い、石段はうっかりすると滑り落ちそうになるくらいすり減っている。高い壁に挟まれた螺旋状の階段を上がりきるとパイプオルガンの前に出た。教会内部を俯瞰できる場所で、その手すり側に古いオルガンがあった。

「ショパンが弾いていたオルガンです」

「え、本当ですか！凄い！」

夏恋は感激のあまり大きな声を発した。

「ここにショパンが座って弾いていたんですか！」

「そうです。ショパンは毎週日曜日にあの階段を上がってきては、ここで演奏をしていました。今も現役ですよ。五十年以上も前から私は毎日弾いています」

「えー！……百数十年も前のまま、未だに使われているんですか。信じがたいですね」

黒木も興奮を隠せない。

「何度も修復が重ねられていますから、そっくり昔のままというわけではありませんが、本体は当時のままで、鍵盤は傷んでほとんどが交換されています。ショパンが触れていた鍵盤で当時のまま残っているんのは、このEの鍵盤一つだけです」

「え、これ本当にショパンが触っていた鍵盤ですか！　触ってもいいんですか」

「どうぞ」

夏恋はそっと指でなぞりながら、

「感激！　ショパンに触れることが出来た！」と感嘆の声を上げた。

「本当に凄いことだよ。その指、一生洗っちゃ駄目だな。……このオルガン、これまでテレビが取材したことはないんですか」

職業がら黒木が一番訊きたいことだった。

「ありません。教会は何度も取材を受けましたが、ここまではご紹介していません」

「今日私たちがここへ上がれただけでも大変なことなのよ」とアンナ。

「本当にありがとうございます。こんなに貴重なものを拝見できるなんて光栄です」

黒木までが興奮している。

「ショパンの演奏する音楽が、この教会全体に響き渡っていたなんて……あ、今にも聞こえて来そう」

「何か演奏しましょうか」

「え、本当ですか！」

牧師は椅子に座るとおもむろに弾き始めた。華音が好んで演奏していたショパンのノクターン第二十番嬰ハ短調『遺作』だ。

夏恋の目にどっと涙があふれ出した。

背後に並んだパイプから音が洪水のように溢れ出し、教会全体に響き渡っていく。三人はそのオルガンの響きの中で、遠いショパンの時代へ引き込まれていった。

演奏が終わって教会の外へ出ようとしたとき、牧師が黒木たちを手招きした。三人は黙って先に歩く牧師の後に続いた。案内されたのは、太い木の格子で仕切られた、まるで厩舎か日本の時代劇で見かける牢獄のような場所だった。そこへ野菜を一抱えした尼僧がやって来て格子窓の横にある紐を引いた。すると奥の方で鈴の鳴る音がして一人の尼僧が現れると、黙って野菜の束を受け取り奥へ消えていった。

「外と内があの格子一つで隔てられているのです。一度向こう側に入ると二度と外へ出ることは出来ません」

「え？」

夏恋は次の声が出なかった。

「この教会は最も戒律の厳しい教会で、一度入ると外界を断ち、あの格子の向こうで一生涯を神に使えなければならないのです」

「外へ出ることは出来ないのですか？」

「ええ、一生出ることは赦されません。外との連絡はあの格子の窓だけなのです」

「……」

まるで大罪を犯した囚人と同じではないか……、夏恋も黒木も不思議な世界を覗いたような切ない思いに打ちのめされていた。

「こちらへどうぞ」

牧師は三人の気持ちを察したのか教会の裏口から明るい外へと誘導した。

教会の隣にもう一つの黒い建物があった。塀に沿って歩いていると向こうから一人の牧師がやって来る。夏恋と黒木は一瞬ギョッとなった。案内する牧師と、まるで同一人物としか思えないほどそっくりだったからだ。牧師は笑みを浮かべて軽く頭を下げると通り過ぎていった。

「驚かれたでしょう。私たちは一卵生双生児なのです。私は牧師になり、弟は尼僧たちのお世話をするために幼い頃からずっとこの教会で仕えているのです」

教会と建物の間に緑の茂る小さな庭が見えた。

垣根の向こう側で一人の尼僧が洗濯物を干している。それは先ほどの薄暗い格子の部屋と違って太陽の光がこぼれる長閑な光景だった。

「彼女たちは、決して不幸だとは言えません。外へ出ることこそ出来ませんが、必要な物は何でも手に入れることが出来ますし、狭い庭ですが季節を感じ、心の自由も得ることが出来ます。……ショパンが生きていた頃から今日まで、ずっとこうして教会に仕える人たちの生活が続いているのです。日本の方には容易に理解出来ないことかも知れませんが」

夏恋はショパンの鍵盤に触れることが出来た喜びと裏腹に、言いしれぬ哀しみで胸が塞がれ、神に仕えるということがどういうことなのか、容易に理解することは出来なかった。

牧師は何を伝えたかったのだろうか……。黒木もまた、生き方への深い問いかけを受けたような気がした。三人は牧師に礼を述べると表の賑やかな街路へと出た。

オルテスの告白

オルテスが素直に会ってくれるとは思われない。もしかしたら出演さえしていないかもしれない。店からピアノの音が漏れていた。黒木は演奏しているのがオルテスだと確認して胸をなで下ろした。逃げられたら一巻の終わりだ。

「あいつか」合流したワレサが黒木に確かめる。

黒木たちは逃げられるのを恐れて店の外で待機することにした。

全ての演奏が終わって十分経った頃、何の警戒心もなくオルテスが店から出てきた。直ぐの接触を避け二手に分かれて後をつけた。オルテスは人混みを避けながらタクシー乗り場まで来た。乗る前に拘束しなければ……。黒木と夏恋が偶然出会ったように装って声を掛けた。

「や、オルテスさん、今お帰りですか」

オルテスは一瞬怯むと逃げ出そうとしたが、ワレサとアンナが前に立ち塞がった。

「この前はどうして話しを聞かせて貰えなかったの？　私たち待っていたのよ」

「私の方からあなた方に話すことは何もありませんよ。こんなことをするのは止めて下さい」

「少し質問に答えて頂ければそれだけで良いんです」

黒木が詰め寄り、アンナが優しく言う。

「貴方が避けるから、私たちも何かあると思ってしまうのよ。お願い、少しだけ付き合って」

「本当に何もありませんよ」

オルテスはアンナを押しやるようにして歩き始めた。

こんどはその前をワレサが塞いだ。

「逃げるのか！　話しがあると言っているだろう！」

「私を脅すのですか」

「疚しいことがなければ逃げることはないだろ。それともあるのか！」

ワレサはびくつくオルテスの眼前に夏恋を押し出して強く言う。

「この顔に似た女性に出会ったことがあるだろう」

オルテスは避けるように下を向いた。

「よーく見ろ！　死んだ来宮華音の妹だぞ。何も感じないか！」

「お願いします。ご存じのことがあれば何でも良いんです。教えて下さい、お願いします」

夏恋に言われ、オルテスは更に苦しそうに俯いた。

黒木は確信を持った。

「何かご存じですよね。怖がらなくても良いんです、私たちはただご存じのことがあれば教えて頂きたいだけなんです」

オルテスは観念したように顔を上げて黒木を見た。

旧市街の裏手にある薄暗い地下の酒場でテーブルを囲んだ。

「お姉ちゃんが生きていたら……こうやってみんなと仲良くできるのをどんなに喜んだか知れない」

「悲しんでいるお母さんに、せめてワルシャワでの最後の様子の一つでも分かることがあれば伝えてあげたい、といろいろ調べているんですよ」

黒木がつぶやくように言うとオルテスは黙ったまま俯いた。

「……貴方にも親姉妹の悲しい気持ち解るでしょう……、音楽を愛する心を持ったあなたなら、大切な子供を亡くした母親の気持ちが分かるはずよ。……何でもいいの、知っていることがあったら教えて」

アンナが優しく諭すように言う。

「……皆さんのお気持ちは分かります。でも、僕は本当に何も知らないんです。あの日ワジェンキ公園に行ったのは確かです」

「一人だったのか？」

ワレサが急に強く出る。

「どうなんだ！」

「あの日は……ある人と……一緒でした」

「ある人って？」

夏恋が乗り出す。

「……それは……」

「まさか！来宮華音じゃないだろうな！」

「違いますよ！」

「じゃ誰だ！　はっきりしろ！　嘘つきやがったら、その指へし折ってやるぞ！」

「ワレサは黙っていて！　折角穏やかに話しているのに……私たちも知っている人？」

「……」

「はっきりしろ！　痛い目にあいたいか！」

「……審査員の……ゴ、ゴドフスキー教授です」

「ゴドフスキー教授？　あの有名な教授？」とアンナ。

「ええ、一緒に行ってくれないかって頼まれたんです」

「何をするため！」ワレサがオルテスを見据える。

「……少し疲れた、音のしない静かなところで気分転換をしたいって」

「ゴドフスキー教授が？　そんなに親しい間柄なのか？」

「……私は教え子ですから」

四人は思わず顔を見合わせた。

「……でも、僕が見掛けたときは、あなた一人でしたが」

「それは……公園へ来て間もなく、教授に電話が入って、急な用事ができたので戻ると」

「で、あなただけが残ったのは何故ですか？」

「折角だから君はゆっくりして帰りなさい、と言われたからです。毎日コンクール詰めで、私も少し疲れていましたから……変に思われるかも知れませんが、ピアノの音のしないところで静かに過ごしたい気持ちがあったんです」

「なるほど、その気持ちは解らないでもないな。幾らピアノ好きでも、一か月も付き合っていれば頭の中はピアノの音でいっぱいになるからね」

意外にもワレサが同調する。黒木だって頭の中でピアノの音が鳴り続けていたものだった。

「それからどうしたんですか？」黒木が訊く。

「よい機会だと思って散策路をゆっくり下って行きました」

「貴方の他に人はいなかったのですか？」

「いいえ、お年寄り夫婦や若いカップルなど何人も出会いました」

「……散歩されただけですか。ショパン像の側で貴方を見掛けたとき、ずいぶん慌てていられたように見えましたが」

「ああそれは、森の中がとても静かで気持ちよくて、つい時間を忘れていたんです。気がついたら逢うことになっていた約束の時間が近づいていました。それで急いで森の中を駆け上がったんです」

「なるほど……」

「なんだ、そんなことか。俺たちの早とちりと言うことか」

ワレサが黒木を見て、それみろというような顔をする。

「……来宮華音はよくご存じだったんでしょう？」と黒木が続ける。

「もちろん知っていました。出場者の中では評価が高かったし、私自身も上位入賞者の候補に挙げていたくらいです」

「話したことはないんですか」

「それはありません。コンクールの間はみんな自分のことで精一杯ですから」

「俺たちを変に避けるからこんなことになるんだよ。とんだ時間つぶしだった」

とワレサががっかりする。

「済みませんでした」

「謝ることはないさ。な、夏恋だってこれで気が済んだだろう」

夏恋は黙ったまま視線を落とした。

淀みなく応えるオルテスに不審なところはないように思えた。だが黒木は諦めない。

「ピアノのことだけど……来宮華音が演奏する前に、何か変わったことはありませんでしたか？」

「変わったこと……」

オルテスの目元がぴくりと動いた。

「ピアノの管理はどうなっていたんですか？」

「毎日早朝に調律が行われ、演奏が始まるまでステージの上に置かれたままになっています。それで観客が入場する前に私たちが舞台の袖に集め、待機します」

「だれでも触れることが出来たんですか？」

「出来ないことはないでしょうけど……、空いている時間がないほどですから無理でしょう。それに調律後は演奏直前まで鍵が掛けられていますし、調律師と演奏する本人以外の人になんの用がありますか」

「それはそうだけど……係は三人でしたよね。他の二人はどんな人でしたか？」

「ピアノを移動するだけの仕事なんて面白くはないですからね、何人か入れ替わったりしましたが……、一人はポーランドの音楽院の学生で、もう一人は一般のボランティアでした」

「連絡はとれませんか」

「それは無理です、会場だけの付き合いで、連絡しあうほどの間柄じゃないですから」

「もう良いだろう黒木、そろそろ引き揚げようじゃないか」

ワレサがしびれを切らして、ぶっきらぼうになる。

「疑ったりして済みませんでしたね。いろいろと話して頂いて助かりました。何か思い出すことがあったらまた聞かせて下さい」

黒木が詫びを入れると夏恋がオルテスに向き直り、

「お会いできて本当に良かったわ。日本でぜひお逢いしましょうよ」

「おい、俺には！」

ワレサがふてくされ、アンナが笑う。

黒木の疑問はまだ完全に消え去った訳ではなかった。


翌日、黒木と夏恋は音楽院を訪ね、オルテスがもらした学生と会った。

写真とは印象が違って愛想の良い学生だった。

「待機中はピアノの蓋は閉じられているんですか？」

「ええ、開けておく必要はないし、むしろ邪魔ですから。それに僕たちは誰がどのピアノを使うかリストを渡されていたし、MCの案内に従ってピアノを用意するだけだったから」

「ファイナル初日の四番目の出場者は日本の来宮華音だったんですが、何か変わったことはありませんでしたか？」

「変わったこと？　どういう意味ですか？」

「ピアノの様子が変だったとか？」

「仰ることが好く飲み込めません」

「例えば、運ぶ前にピアノの蓋が開いていたとか、中を触っている人物を見掛けたとか」

「僕たちは常に舞台袖のピアノの傍に待機しているんだけど、誰も見掛けたことはなかった」

「……オルテスさんが一緒だったはずですが、彼に何か変わった様子はありませんでした？」

「いいえ、彼は交替要員として僕より後から入って来たんだけど、シャイであまり話したことはなかったです。大人しかったですよ」

「……もう一人はどんな人物でしたか」

「ああ、彼はボランティアでしたから、演奏がいっぱい聴けると楽しんでいました。人好きのする明るい性格でした」

特別な情報は何一つ得られず、オルテスという謎解きへの糸口を見つけたつもりだったのに進展する気配はなかった。

再会

半信半疑だったメモの住所へ手紙を出していたら、ウイーンのソフィアから反応があった。

ワルシャワまで来てくれるというので、初めて出会ったワジェンキ公園そばのカフェで逢うことにした。黒木が夏恋と店内へ入っていくと素早く見つけたソフィアが立ちあがった。

二人は懐かしそうに、ごく自然にハグを交わした。

「あれ以来だから、とっくに忘れられていると思っていました」

「ショパンの生家に行こうって約束したままだったでしょう。それにあんなことがあったんですもの忘れられるわけないわ」

「そりゃそうですね。僕のことでなくてちょっと残念だけど」

「いいえ、あなたに逢いたくてよ」

ソフィアはうふふと笑った。

「そうだ、こちらは来宮華音さんの妹の……」

「来宮夏恋です、はじめまして」

「お聞きしていました。ソフィアです。本当に悲しいことでしたね」

と慰めるようにハグをする。

三人は座るとコーヒーを頼んだ。

「叔母が入院していたのでもっと早く来たかったんですけど……」

「そう、それは心配でしたね」

「でも大した病気ではなかったのでほっとしました。それで少しは何か分かったんですか」

「それがね……雲を掴むようで少しも……。あの時、あなたも警察に呼ばれたでしょう?」

「ええ、いろいろと訊かれました。亡くなっていたのが来宮華音さんと知って、それはもう衝撃でした」

「え、親しかったんですか?」

夏恋の瞳が輝いた。

「いいえ、ほんの少しだけね。……第二次予選までは同じホテルだったから」

「自殺だって知っていました?」

「ええ、警察で知ったけどとても信じられなかった」

「どうしてそう思うんですか？」

「だって……そんな感じの人じゃなかったもの」

「どうして知りあったんですか？」と夏恋。

「毎朝食堂で顔を合わせる程度だったんだけど、ある日、食事を終えて立ち上がったとき、ぶつかってしまったの。驚いたわ」

「驚いたのは華音さんの方でしょう」

黒木は笑った。ソフィアは真面目な顔して続けた。

「驚いたのはそんなことじゃないわ。大丈夫ですか！って私の手を心配してくれたの。それだけじゃないわ。直ぐにハンカチを出して、私の濡れた脚まで拭いてくれたの」

「華音さんて優しい人なんだな」

「本当ならみんなライバルでしょ。わたしならきっと怒るわね。彼女の演奏が人の心を掴むのは、そうした優しい心そのものが音になっているからだと思うわ。ショパンは彼女のために曲を書いたんじゃないかしら。二次予選でも、とても淑やかで落ち着いていたし、気負ったところがなくて、本当に自然にピアノと一つになっていた。一位に入賞しても決しておかしくなかった」

ソフィアは熱っぽく語り続け、夏恋は涙ぐんだ。黒木は華音のことをそんな風に感じるソフィアもまた、心の豊かな女性なんだろうと思った。

「それから彼女とは？」

「顔を合わせるたびに挨拶するようになって……」

「何か変わったことはなかったですか？」黒木が訊いた。

「変わったこと？」

「どんな小さいことでもいいんです」

ソフィアは考え込んだ。

「……そういえば……私が二次に落ちた時声をかけてくれて、もう逢えなくなるからって一度だけスイーツを一緒に食べたことがあった」

「え、そんなことがあったんですか！」と夏恋が目を輝かせる。

「そう、留学を誘われているようなことを言っていた」

思わず黒木は身を乗り出した。

「その誘っていた人物が誰だか判りますか？」

「えーと、有名なピアニストでコンクールの審査員だった……そう、ゴドフスキー教授」

「ゴドフスキー教授？　オルテスが言っていた教授だ！」

夏恋が頷く。

「コンクールの間は審査員と出場者が接触することはないはずだけど」

「そうでもないわ。審査員もよくロビーに出ていたし、一緒に写真を撮ったりサインをしたりしていたもの。その気になれば簡単に会えますよ」

「で、華音さんは教授に会ったのかな」

「さぁ、そこまでは知らないわ。わたしならチャンスだと思って舞い上がってしまうのに彼女は淡々としていた」

「華音ちゃんらしい」夏恋は納得したように頷く。

「他にはなにか？」

「それだけよ」

「そうか……、他に親しくしていた人を見掛けなかった？」

「さあ、わたし二次予選で落ちたからホテルは出なきゃならなくなったし、後は遠くから彼女の演奏聴いているしかなかった。……何事もなければ彼女は必ずショパンの優れた演奏家になれたと思うわ。ショパンだって自分の思いを伝えてくれる素晴らしいピアニストを得ることになったと想う」

「そうだよね。ピアノ事故くらいで自殺なんかするはずないよね」

黒木は改めて確信した。


黒木と夏恋は軽く食事をした後、ソフィアと別れてホテルへ戻った。

黒木は部屋へ入るとぐっと疲れが出てベッドへ倒れ込んだ。それでも気を取り直してシャワーを浴びていると、ドアをノックする音がした。夏恋かと思い急いでガウンをひっかけてドアを開けたが誰も居ない。この時間なら夏恋だろうと隣のドアを叩いた。

「どなた？」という声が近づいたので「黒木……」と言うと直ぐにドアが開いた。

「ついさっき、僕の部屋のドアをノックした？」

「いいえ」

「おかしいな」

「聞き間違いじゃない？」

「いや……、確かにノックの音だった。てっきり夏恋さんだと思ったんだけど」

「いいえ、私はシャワーを浴びていたし……そう言われてみれば、私もノックの音が聞こえたような気がする」

「？……ちょっとの間良いかい」

「ええ、こんな格好で少し恥ずかしいけど」

案内されて黒木は奥の椅子に腰掛けた。

「オルテスという男、どう思う？」

「うーん、気にはなるけど……良く判らない」

「少なくとも悪人には思えないけど……誰かにおどされているような気がする」

「……私たちが彼を疑い始めたのは、ピアノ係だったことと、華音ちゃんが死んだ日にワジェンキ公園に居たことからでしょう。それ以上なんの証拠もない」

「……いや何かある。……オルテスはまだ何かを隠している。……もし隠していることがあるとすれば、その裏に誰かがいるはずだ。その誰かが、いろいろと調べている僕たちのことを知ったら、何をしてくるか判らない。いずれにしてもドアだけは、しっかりロックしておいたがいい」

「ええ、そうするわ」

約束の生家

ソフィアから「留学を誘われていた」という新しい情報が持ち上がったが、ゴドフスキー教授に会うにも生憎アンナとワレサも仕事で忙しく動けないという。そこで黒木は、半年前のソフィアとの約束を果たすべく、レンタカーを借りてジェラゾヴァ・ヴォラへ行くことにした。四十分も走れば着く距離だ。生家へはこれで三度目なので道筋は良く覚えている。途中小さな町があったがほとんど田園風景の連続で、並木に沿って白い道が延びている。

「懐かしいわ、半年ぶりかしら」

「え？なに？　僕と初めて会ったとき、まだ行っていない、と言っていなかったっけ」

「そんなの嘘よ。貴方と行きたかっただけよ」

「いやーそうか。さすが外国の女は大胆だ」

「黒木さんだって嬉しかったんでしょ」

助手席の夏恋が意地悪そうに膝をつねる。

「もちろんさ。こんな素敵な女性に遇えたんじゃ逃す手はないだろう」

「なんだか私はお邪魔ね」と夏恋がすねる。

「そんなことはない、僕は両手に花で最高の気分だ」

「いい気ね」

三人は声を上げて笑った。

往復二車線の田舎道を走り抜けると、一本の大きな木の向こうにショパンの生家が見えて来る。ようやく芽吹き始めた木々に囲まれて白い壁がひときわ目立っている。平日というのに観光バスが二台も止まっており、黒木は奥の一般駐車場の左のスペースに車を止めた。生家は横に長い平屋の建物で、かつては蔦に覆われて灰色だったのに、現在は蔦もなく眩しいくらい真っ白い壁に塗り替えられている。恐らく最近になってリニューアルされたのだろう。

ショパンがここに住んでいたのはわずか生後七か月間に過ぎないが、ショパン・ファンなら一度は訪れたい聖地だろう。木々に囲まれた広い庭園を散策しながら、ショパンの幼児時代に想いを馳せることが出来る。日曜日には定期的にピアノ演奏もされている。

黒木は夏恋を案内するように屋内へ入った。入った左の部屋は家族が談笑したというリビング、その先を右に廻るとショパンが生まれた部屋になる。

ガイドブックによると父親のミコワイはフランス文学に造詣深く、ワルシャワの高等学校の教授になった人で、フルートやヴァイオリンをたしなんだというが、特に音楽的才能あるというほどではなかったという。母親のユスティナは家庭的で優しく母性愛に満ちた人で、良く子守歌にポーランド民族音楽を歌って聴かせていたらしい。いずれにしても一八一〇年三月一日、ここで産声を上げたひとりの男の子が、世界の人々を魅了する数々の名曲を創り出し、世界的なピアノコンクールの産みの親にまでなるとは誰が想像し得ただろうか。そして、ショパンを愛する来宮華音という一人の女性の命を奪うことになろうとは。

「ここでショパンが産まれたのね」

夏恋は広いリビングの壁面に展示された譜面や、子供の頃に書いたという母への手紙などを眺めながら、涙を落とさんばかりに感動していた。黒木はそんな夏恋の気持ちを乱したくなくて、ソフィアとその場を離れた。

飾り窓にかかる白いレースのカーテンが、淡い光のフレアとなって美しい。その手前に一台のピアノが置かれている。夏恋がやっと追いついて、

「ショパンが弾いていたピアノなの？」

と二人の間からのぞき込む。

「残念でした。ミニコンサートが出来るように日本のピアノメーカーから寄贈されたものなんだ。誰でも弾いて構わないらしいよ。夏恋さんどうぞ！」

黒木が戯けるように言うと、

「それではといいたいけど……ソフィアさん，どうぞ！」

とソフィアを無理矢理座らせる。

「恥ずかしいけど……」

ソフィアはショパンの『ノクターン第一番変ロ短調』を弾き始めた。サロンは一挙に美しいピアノの音が溢れて、見学者たちが集まる。みんなが酔いしれ、感動のあまり涙をためて聴いている人もいた。

黒木はソフィアと初めて出会ったワジェンキ公園を想い出していた。


外へ出て建物を迂回すると、木々を背景にショパンの胸像が建っている。黒木たちはその胸像を見た後、花壇を降りて裏庭を流れている小川の辺りへ向かった。庭園の木陰に設けられたスピーカーから緩やかなショパンの『ノクターン第二十番嬰ハ短調（遺作）』が流れてくる。その音色は春の命輝く林の風景によく似合っていた。夏恋はソフィアと手をつないでゆっくり歩きながら何故か涙が溢れてきた。

「どうしたの夏恋さん？」

「……華音ちゃんが大好きでいつも弾いていた曲」

「そう、美しくて哀しくて切なくて、華音さんにぴったりね」

「ここにいる頃はショパンはまだ赤ちゃんだったから、きっとお母さんに抱っこされて子守歌を聴いていたんだろう」

　黒木がつぶやきソフィアが相づちを打つ。

「こんな美しい自然に囲まれて優しいお母さんの子守歌を聴いていたら、ショパンが自然や田園風景を好きになるのは当然ね。ワルシャワへ移ってからも何度もここへ来ていたみたいよ」

「誰かさんの家だって林の中の、鳥の声が聞こえてくるような素敵な環境なんだけど……ね」

「なーに？　なにが言いたいの？　まさか私のことじゃないでしょうね！」

　夏恋が口を尖らせ、ソフィアがうふゝと含み笑いをする。

「……もめないうちに……そろそろ戻りましょうか」

　三人はそぞろ歩きながら駐車場へ戻ってきた。

「まだちょっと時間があるけどどうしよう。……ここから数キロ離れたところに、ショパンが洗礼を受けたという教会もあるんだけど」

「行きたい！」

　夏恋が即答した。この際行けるところはすべて行っておきたい。

　三人は車に乗り込むと教会へ向かった。

　聖プロフ教会は生家から車で十分ばかりの近くに在る。赤いレンガ造りで円い塔のある古い教会だ。日暮に近かい所為か閑散として観光客らしい人影もない。三人は開放されている正面の扉から中へ入った。薄暗くひんやりとした天井に窓から陽が斜めに洩れている。

一八〇六年六月二日、両親はこの教会で結婚式を挙げ、一八一〇年にショパンが洗礼を受けている。長女のルドヴィカが結婚式を挙げたのもこの教会だ。

外へ出ると夕陽が西の空を紅く染めていた。三人は誘われるように教会脇の池の畔へ出た。美しい田園風景が広がり、車一台がやっと通れそうな農道が遠くまでまっすぐ伸びている。音もなく暮れゆく長閑な景色に三人は言葉もなく見とれていた。

その時、背後で車のエンジンを噴かす音がした。黒木が振り向いた瞬間、車はスピードをあげ突進してきた。

「危ない！」

黒木が夏恋とソフィアを畑に突き飛ばした。間一髪だった。

「……一体何なの」

夏恋は黒木に支えられながら立ち上がった。

「大丈夫？　大変なことになるところだった」

「ほんとに何なの？」

ソフィアが同じことを言って埃を払う。

「あの車、僕たちを狙っていたのかも知れない。生家を出るとき、一緒に動き出した車だ」

「気がついていたの」

「ちょっと不審に思っただけ……、こんな処で狙われるとは思わなかった。とにかく急いで帰ろう」

ゴドフスキー教授の実像

アンナの働きかけで急遽ショパン音楽大学のゴドフスキー教授に会えることになった。華音の留学の誘いが本当だったのか確かめたかった。教授は学生のレッスンを終えると、にこやかに応対してくれた。

「カノン・キノミヤには第二次予選の時から強い印象を持っていました。彼女の演奏は東洋的とでも言いますか新しいショパン像を感じさせるものでした。実はショパンに拘るあまり自分の個性を失ってしまう人が多いのです」

「ですが、よく『ショパン的でない』と批判されることがあります」

「もちろんショパンに対する深い解釈なり理解のもとで演奏することは重要です。ですが、何を持ってショパン的であるというのかは難しいところです。当たり前のことですが現代人は誰もショパンに逢った人はいませんし直接指導を受けた人もいません。今日のように録音技術があった訳でもありませんからショパン自身の生の演奏を聴いた人もいません。ピアノだって当時と現在では大きく違いまず。唯一残されているのは彼が残した楽譜だけです。大切なのはその楽譜から何を読み取るかです。それは人様々でしょう」

「来宮華音に対する他の審査員の評価はどうだったのでしょうか」

「確かにショパン的ではないといった反対意見もありました。そうした評価を除けば彼女の演奏は圧倒的に高く評価されるものでした」

「今回のコンクールではいろいろな事がありました。来宮華音の自殺、審査員イワノフ教授の事故死、……何かお感じになっていることはありますか」

「私は長いことコンクールに携わっていますが、これほど不幸な出来事が起きたのは初めてです。何かがおかしいと思います」

「これは失礼な質問になるかも知れませんが、もし無理ならお答え頂かなくても構いません。……事故の夜、イワノフ教授と一緒だったと報じられていましたが……」

教授は下を向いて大きく呼吸をするとゆっくりと顔をあげて口を開いた。

「……その通りです。警察にはすべてを話しましたが、お答えしましょう。実は、イワノフ教授から中国のリン・チャオヤンを推すように頼まれていました。二次予選の時からです」

「それで……リン・チャオヤンに入れられたのですか？」

「いいえ。確かに素質は感じられましたが、まだまだ荒削りで技術的に難点がありすぎました。もっと勉強が必要でした。ファイナルについても同じように勧誘がありました」

「何か見返りがあったのでしょうか」

「……」教授はきつく唇を閉じた。

「……言いにくいんですが贈収賄の噂もあったようですが」

教授は深く溜め息をついてゆっくりと口を開いた。

「一人のピアニストが誕生する陰には本人の才能や努力はもちろんですが、教えた先生を初め家族や主催する団体、協賛する企業、音楽関係者など多く人々が関わっています。ですからそこには人間の欲や様々な利害がうまれ、時として人の心を歪めてしまうことさえ起きるのです。哀しいことですが音楽の世界も無縁ではないということです」

「来宮華音は自殺だったと想われますか？」

夏恋が小さな声で訊いた。

「……私には何とも言えません。あんなことになってとても残念でした」

「実は彼女は来宮華音の妹なのです」

黒木が夏恋を改めて紹介した。

「そうでしたか。先ほどお顔を拝見した時、一瞬、カノン・キノミヤが戻ってきたのかと思ったくらいでした。よく似ていらっしゃる。あなたもピアノを弾かれるのですか」

「ええ、でも姉ほどには出来ません。姉とは何度かお会いになられたのですか？」

「いえ、コンクールの間は、審査員が出場者と個人的に親しく接触することはありません。ですが……ただ一度だけレストランで偶然出会いました。そのとき、私の方から声をかけてワルシャワへ来てもっと勉強しませんかと言いました」

「それだけですか？」黒木が訊いた。

「それだけです。彼女ならもっと勉強をすれば、間違いなく世界的な、すばらしい演奏家になれると想ったからです。彼女の演奏には美しい音色と叙情性がありました。三次、ファイナルと進むにつれて、彼女のためなら私は何でもしてあげたいと思うようになっていました」

「そんなに思っていただいていたのに、姉はなぜ死んでしまったのでしょう」

夏恋は急に涙が溢れてきた。

「本当に哀しいことです。彼女の演奏には何よりも音楽を愛する心がありました。音楽は耳のためにあるのではありません。聴く人の心のためにあるのです。ピアノは演奏する手のためにあるのではありません。演奏者の心を表現し伝えるためにあるのです。そう言った意味で彼女そのものがピアノのようでした。彼女とピアノは一つになっていました。深く音楽を愛し、ショパンの音楽を愛していることがよく現れていました。大切なのはただショパンが書いた音符を指でなぞるのではなく、音符と音符の間に潜むショパンの心をどう感じ、蘇らせるかです。そう言った点でカノン・キノミヤはまだ足りないものがありました。彼女は自分が感じる音そのもの、音楽そのものを愛し過ぎていたのかも知れません」

黒木は、華音が時折見せる愁いに満ちた表情を思い浮かべた。

「ピアノの事故というのは、よくあることでしょうか」

「ないとは言い切れませんが、私は一度も経験したことはありません。聞いたこともないですね。むしろ調律時に切れることはあるという話は聞いたことがあります」

「彼女の自殺とピアノ事故とは関係があると思われますか」

「演奏者は自分の心のすべてを音に託していますから、演奏中にピアノが異常をきたしたら、動揺するのは当然です。審査中のことですから、尚更大変なショックだったことでしょう。しかし、……だからといって彼女の死がピアノの事故から誘発されたものか、どうかは私には判りません。……いずれにしても彼女には本当に気の毒な出来事でした。コンクールが終わったらゆっくりお話ししたいと考えていました。……本当に惜しい人を亡くしました」

教授に不審なところは微塵も感じられない。

「先生は、二次予選で落ちたオルテスという学生と師弟関係にあったのでしょうか？」

「え？　オルテス？　沢山の学生を教えてはいますが……」

「彼とワジェンキ公園に行かれたことがありますか？」

「ワジェンキ公園に？　私がですか？」

「オルテスがご一緒したと言っていました」

「何時のことだろう……」

「コンクールが終わって三日後のことです」

「それはあり得ません。入賞者発表の翌日にはコンサートのためにスイスへ飛んでいますから」

意外だった。オルテスの話は嘘だったのか。

教授が嘘までつく必要があるとは思えない。「それは本当ですか？」黒木は確かめたい気持ちをぐっと抑えた。同時にオルテスに対する憤りがこみ上げてきた。

翌日の夜、黒木はワレサたちと合流した。

「ゴドフスキー教授はオルテスとワジェンキ公園には行っていない」

「なに？　嘘をついていると言うことか。まさかゴドフスキー教授の方が嘘をついているってことはないだろうな」

「それはないだろう」

「分からんぞ、本当の悪党こそ、善人面してしれーっと嘘をつくからな」

「惑わすようなことを言うなよ。……もう一度オルテスと会って確かめたい」

「もう前の店には出ていないだろう」

「大丈夫じゃない。この前、和やかに別れているから」

アンナは楽観的だ。

「オルテスとゴドフスキー教授をもっと調べていけば何か判るかも知れない」

「ゴドフスキー教授は有名な人だから、調べるといったって私たちは警察じゃないんだし、……私立探偵でも頼めば話は別だけど……」とアンナが思案気に言えば、

「いいわ、頼みましょうよ」と夏恋が乗り出して言う。

「おいおい、まったくお前たちは探偵ごっこが好きだな。日本とポーランドの国際探偵団という訳か。何だかスパイ映画みたいでわくわくするが危険な目に遭ったばかりだろう。これ以上深入りすると大

怪我するぞ」

「いったいワレサはどっちなのよ！　賛成なの反対なの」

「よし、その私立探偵とやら、俺が紹介してやる」

「えーっ、探偵の友人までいるんだ！　顔が広い！」

「困ったことなら、なんでも俺に訊け。殺し屋から弁護士まで知っている」

「ひやー、口は悪いけど頼りになる」

とアンナが戯ける。

黒木は笑いながら二人のやり取りを聞いていたが、

「仕事のこともあるし、僕もそうゆっくりはしておれない。探偵の話だけど、夏恋の家のことだから費用は心配しなくていい……なあ夏恋さん」

夏恋がはっきりと頷く。

「よし任せとけ」とワレサは自信たっぷり。

「いろいろ手を使って調べてもらってくれないか。巧くいきゃワレサにも仕事でお世話になることになるかも知れないし」

「それはいい話だ。日本行きか？　まさか探偵ごっこのドラマじゃないだろうな。黒木とアンナが主役なんてのはご免だぞ」

「馬鹿言わないで。こっちこそワレサみたいな探偵はご免よ。探偵を紹介するなら真面目な人にしてよ」とアンナ。

罠

オルテスとはこの前明るい雰囲気で別れているのだから、いつもと変わらず出演しているだろう、いや警戒して辞めてしまっているかもしれない。黒木はそんな思いに駆られながらアンナたちと合流して店に向かった。ピアノの音が漏れている。

「良かった、オルテスよ！」

アンナが店を覗いて明るく言う。ワレサが勇んで入ろうとするのを黒木が止めた。

「今度は逃がすわけにはいかない。外で捕まえよう」

少々寒かったが黒木とアンナが表のドアの外にたち、ワレサと夏恋は寄り添うように反対側の扉の後ろに隠れた。

オルテスは最後の演奏を終えると店から出てきた。黒木とアンナが後をつけて「オルテスさん」と声をかけると、オルテスはハッとして身構え反対方向へ逃げようとする。黒木が前を塞いだ。

「まだ用があるんですか」

「あと一つだけ教えてください」

「この前全てをお話したではないですか」

ワレサが割り込む。

「あるんだよ！　俺たちを舐めるんじゃない。温和しくついてこい」

「何処へ行くんですか」

「黙ってついて来い！」

「警察を呼びますよ」

「いいだろう。一緒に行こうじゃないか」

オルテスは観念したのか温和しくなった。

「じゃ、こんなところではまずいので私の知っている店へ行きましょう。……ご心配は要りません。私の行き付けのレストランでまともな店です。直ぐ近くですから」

ワレサは黒木と顔を見合わせた。

「良かろう。行こうじゃないか」

オルテスについて行くと、店は明るいショッピング街の一角に在った。レンガ造りの狭い階段を降りると、左奥の席へ案内された。座ると黒木はストレートに切り出した。

「嘘をついていませんか」

「え？　な、何をですか？」

「ゴドフスキー教授とワジェンキ公園へ行ったというのは本当ですか」

「本当です。嘘じゃありません」

「間違いないか！」

ワレサが睨みつける。

「間違いありません」

「ゴドフスキー教授は行っていないと言っていますが」

黒木も強い口調になっていく。

「そんなことはありません」

「ゴドフスキー教授に直接会って確かめたんですが！」

「え、会われたんですか」

「そうだ！　それでも嘘じゃないと言うのか！」

襟首を掴まんばかりのワレサをアンナが止める。

「……」

オルテスは怯え、黙り込んだ。黒木は熱くなる雰囲気を抑えるように、穏やかな口調になって続けた。

「僕はあなたが心からの嘘つきや悪党とは思ってはいません。何か隠さなければならない事情があるのではないですか」

「どうなの。一人で苦しんでいないで、知っていることを話したら」

アンナの優しい問いかけに、オルテスは深く頭を下げたままだったが、

「……私は皆さんにお会いした後、ずっと苦しんでいました。……本当です……」

涙声に近かった。そして、オルテスはゆっくりと話し始めた。


二次予選の結果発表の日、オルテスはコンクールの三次予選に残れなかったことがはっきりすると、群衆を避けて発表会場から外へ出た。矢張り自分のように恵まれない境遇では入賞など遠い存在だ。落ちて当然だと思いながらも悔しかった。一刻も早く会場から離れたかった。ホール前の通りの向こうに華やかにライトアップされた芸術文化センターが輝いている。オルテスは背を向けると薄暗い路地の方へ歩き始めた。人影もなく遠くに大通りの明るい街灯が小さく洩れて見えた。とぼとぼと歩いていると背後に足音がして一人の男が声をかけてきた。

「残念だったな」

背の高い目つきの鋭い男だった。

「そんなに落胆することはない。君の演奏は素晴らしかったよ」

「……」

「まだ若いんだ、先がある。次のコンクールに挑戦する気はないのか」

男は一方的に話を続ける。

「……したいです。でもみんなレベルが高いし、そう簡単なことではないですから」

「ずいぶん気が弱いじゃないか。もうコンクールに出る気はないってことか」

「ありますよ！」

オルテスはムッとして語気を強めた。

「ほう、まだやる気はあるんだ」

「ありますよ。でもやる気や才能だけでは太刀打ちできないんですよ。みんなは音楽大学に入ったり、優秀な先生に師事したりして、学んでいますからね」

「君だって条件が整えば誰にも負けないと思っているんだろう」

「そりゃぁそうです。僕はピアノも持っていないし、調律もしていない知人のアップライトピアノを借りて練習しているくらいですから」

「そうか……じゃその条件が整えば挑戦する気はまだあるってことか」

「もちろんです。ですからこれまでアルバイトしながらでも勉強して来たんです。なんでそんなことを僕に訊くんですか。今日は気分が優れないんです」

オルテスは歩を早めたが、また呼び止められた。

「どうだ。もう少し話ししないか。場合によっては良い支援者を紹介してもいいんだ」

「え？」

「興味があるならちょっと付き合え」

オルテスは落ち込んだ気を紛らすには良いだろうと、言われるままについて行き、古いバーの片隅で向き合った。

「とりあえず、君の落選と、こうして会えたことに乾杯！」

オルテスはまだ落ち着かない気持ちのまま杯を合わせた。男はウォッカを一気に飲み干すと切り出した。

「実はオルテス君」

「え！　なぜ僕の名前を知っているんですか」

「悪いがいろいろと調べさせて貰った。三次予選に残れなかったことは先程の発表で知ったばかりだが、実はある有名な音楽家が二次予選での君の演奏を聴いて、まれに見る逸材だと高く評価していた。まだ荒削りだがしっかり教えていけば将来世界的なピアニストになる素質があるとね。つまり君は金の卵というわけだ」

「……」

「君が驚くのもむりはないが、優れた音楽家というのは、たまたま聴いた演奏が完璧でなくても、素質を持っているかいないかは見抜くもんだ。……無駄な話は止めよう。実はある資産家が将来有望なピアニストの支援をしたいと、いや会社と言ったがよいかな。それで相応しい人物を捜していたんだ」

「……それなら私なんかより、三次予選に進んだ人の方が叶っていると思いますが」

「いやそれは違う。音楽は小手先で表現するものじゃない。譜面通りに弾けばよいというものではない。正確に弾くのであればロボットでも出来る。大切なのはその曲の心、作曲者の想いを深く理解した上で、演奏者の心、魂を込めていくことだ。音に語らせていくことなんだ。必要なのは器用な指、つまり技術ではなく生まれ持っている感性、才能が必要だと言うことだ。入賞しても消えていくピアニストは数知れない。単なる技術は時間と共に身に付いてくるが、しかし技術が最高に達してもそれを持続していくだけの豊かな感性がなければ駄目だと言うことだ」

男は居心地が悪そうにウオッカを口へ投げ込むと、

「本当のところ俺にはそんな難しい話しはどうでも良い、今言ったことはみんな偉い先生方の受け売りだ」

オルテスは、強引だけど正直な男だと思った。

「君は今回から中国のチャイニィPが公式ピアノになったことは知っているね」

「ええ、もちろんです。でも使用する出場者はほとんどいませんでした」

「世界のピアノメーカーが自社のピアノを公式ピアノとして認定してもらうためにしのぎを削っている。チャイニィPが認定されたと言うことは認定されるに相応しい優秀なピアノであると言うことだ。だが、どんなに優秀なピアノだと言っても、コンクールの出場者が使用してくれないことには、その真価を世界の音楽関係者に報せることは出来ない。分かるな」

「分かります。ですがピアノと言えば矢張り安定して評価されているスタィンウェイに落ち着くんじゃないですか」

「そこだよ。次回の開催まで五年ある。だから今からチャイニィPのピアノと共にピアニストを育て上げ、コンクールで優勝させるのだ」

「凄い話しですね」

「不可能ではない。メーカーは社運を賭けている。問題は誰がそれを実現させてくれるかだ。もしコンクールでチャイニィPを使用した者が入賞すれば、ピアノメーカーは絶大な市場を手に入れることになる。世界の名だたるコンクールでも使用されるようになるだろうし、音楽学校やコンサートホール、一般家庭、と世界中のマーケットの拡大を考えると、それはもう莫大な売り上げに繋がっていく。もちろんメーカーだけではない、演奏した者は一流のピアニストとして認められ、世界の音楽界に君臨していくことが出来る。……その白羽の矢が君に当たったのだ」

オルテスは驚き黙ったまま天井を仰いだ。ホールで喝采を浴びている自分の姿を想像した。

「いきなりなので君が動転しているのはよく判る。……どうだ。挑戦してみる気はないか、君なら可能だ。もし君がその気になるなら、グランドピアノを直ぐに提供させるし、世界的なピアノの先生もつける。それだけではない、その間の生活費のすべてをメーカーに提供させる」

それは、ガラスの靴がぴったり合って王子の待つ宮殿へ向かうシンデレラのような話しだ。自分の足がガラスの靴に合うかどうかは不安だが、現実にこんなお伽話が自分の身の上に起きるとは……。

オルテスは動揺した。

「どうだ。こんないい話がこの世にあると思うか」

「……」

「ま、よい、一日だけ考える時間をやろう。明日の午後六時にまたここで逢おう。このことは絶対に人に相談したりするな。いいか、俺はお前のことを思って全てを話したんだ。もしこの話が外に洩れるようなことがあれば、お前の身に大変なことが起きることになる。忘れるな」

オルテスは躰の奥まで冷えていくのを感じた。


オルテスは旧市街を離れ、薄暗いビルの谷間を急ぎ足で新世界通りの方へ向かっている。着いたのは昨日のバーだ。あの男が待っていた。

「どうだ決心はついたか」

「はい」

「よし。では契約しよう」

「そんなものが必要ですか」

「必要だ。途中で嫌だと言われては困る。君にとっても人生の大きな損出となる。必ず世界的なピアニストになってもらわなければならない」

「……」

「ここにサインしてくれ。俺とお前の契約だ」

オルテスは躊躇したが、男に促されてサインした。

「よし。直ぐにでも君の部屋にグランドピアノを運ぶように手配しよう」

「ちょっと待ってください。いま私の住んでいるところは置く場所もありません。それに音が出せるようなところではありません」

「そうか。そりゃそうだな、部屋から考えるべきだった。メーカーには順繰り用意してくれるように伝えるとして、契約を実行するに当たって、やってもらいたいことがある」

「……何をやるんですか」

男は周囲を見回すとオルテスに耳打ちする。

「ファイナルで日本のピアノにダメージを与える」

「え、どういうことですか」

「調律を失敗させる」

「え！　それは無理です」

「無理でもやらねばならない。メーカーにお前を信用させるためだ」

「調律に第三者が入り込む隙はないはずです」

「ある。俺が君をピアノの交替要員に推薦すれば、すぐOKになる。細工をするのだ」

「細工？　何時ですか。聴衆がいるステージの上でですか。無理です」

「できる。ピアノを中央に運ぶ際にやるのだ」

「どうやって……」

「すべて俺の言う通りにやればよい。簡単だ。一瞬で済む」

「……」

「チャイニィPの存亡がかかっているんだ。いや中国の威信がかかっていると言っていい」

「なぜ私が中国や一メーカーのためにそんなことをしなければならないんですか」

「すべてお前の音楽家としての将来のためだ。よいか、この契約書が表に出れば、お前の音楽生命は終わりとなる」

「……」

「もう後へ退くことはできないんだ。分かったな。簡単だ。俺の言う通りにしていれば必ず将来一流のピアニストとして世界を駆けめぐることが出来る、忘れるな。そのための最初の仕事だ」

黒木たちは唖然とした表情でオルテスを見つめた。オルテスは話を切ると震える手でグラスを掴み、残りのワインを一気に飲み干した。

「で、お前が実行したのか」とワレサが詰め寄る。

「……」オルテスは蹈るようにして頷いた。

「なぜ断らなかったのですか。悪いこととは思わなかったのですか！」

夏恋が悲壮な声で言う。

「……やるしかなかったんです」

「一人の女性が命を落としたんですよ。貴方のしたことで来宮華音が死んだのですよ！」

思わず黒木が怒りを表す。

「待ってください。演奏を駄目にしたことは深く後悔しています。ですが彼女が死ぬとは思ってもいませんでした。本当に直接関係していないんです！　自殺するなんて……」

「本当にそう思いますか、姉は自殺なんかしません！　殺されたんです！　貴方じゃないんですか！」

夏恋は涙を溜めてオルテスを見据えた。

「信じて下さい。私が関わったのはピアノの事故だけです。自殺じゃなく……、もし……もし殺されたんだとしたら……、他に何かが仕組まれていたんだと思います」

「殺された？　何かとは何だ！」ワレサが乗り出す。

「良く判りません……、私も、ピアノ事故を実行しなかったら殺されていたかも知れないんです」

黒木もそんな予感がしていた。

「……誰かに脅迫されていたんですね」

「……」

「貴方が本当に華音の死と関係がないのなら、私たちが全力で貴方を守るから」

アンナの言葉を打ち消すようにワレサがテーブルを叩いた。

「優しくしているからっていい気になるな！　黒幕はだれだ！　お前が華音を殺していないなら何も恐れることはないだろ！　え、やらせた奴は誰だ！　そいつの名前を言え！」

「……」

その時、入り口の方に足音がして二人の男が入って来るのが見えた。オルテスは急に怯えるように顔を隠してやり過ごすと急いで階段を駆け上がっていった。とっさに後を追おうとしたワレサをアンナが止めた。

「止めときなさい！　仲間かもしれない、気づかれたら私たちも危なくなる」

「オルテスが関係していたことがはっきりしたからには、必ず華音の死の原因を突き止めて見せる。こんど奴を捕まえたら絶対吐かせる！」

黒木は浮かした腰を落として悔しがった。

「命に関わるとまで言っていたわ。私たちが考えているよりも、ずっと大きな謎が隠されているのよ」

「だったら尚更後へ引くわけにはいかない。ショパンコンクール全体に関わる陰謀があるに違いない。華音の死はきっとその陰謀の犠牲だったんだ」

「いっそ警察に話してみたら」と夏恋。

「それは無理だ。警察が自殺と結論づけているんだから、われわれが言い出したって受け止めてくれるはずがない。何の証拠も示せないんだから」

黒木は悔しそうに考え込む。

「……手掛かりになるのは、オルテスに真実を吐かせることだ」

「でもあまりオルテスを追い詰めると危ないことが起きるわ。命に関わるとはっきり言ったんだから」

「……我々も気をつけた方がいい。裏で誰かが動いている」

隠された事実

実は、オルテスはもう一つの重大な事実を隠していた。

華音が倒れた夜、オルテスは旧市街の裏手にある小さな酒場で男と向かい合っていた。

「私は、いわれた通りのことをやりました」

「うん、よくやった。これで一つの目的は達した。問題はこれからだ」

「約束は守ってくれるんですね」

「勿論だ。だが勘違いをするな、これで全てが終わった訳ではない」

「まだ何かあるんですか」

「もう一つやってもらうことがある」

「……」

「邪魔な奴が一人いる。そいつを消すのだ」

「消す？　どういう意味ですか」

「この世から去ってもらう」

「え！……」

「ある審査員だ。我々の秘密を知っている人物だ」

「その人物を殺せとでもいうのですか」

「声が大きい」

男はオルテスの口を塞ぎ周囲を見回した。

「一流のピアニストになりたいという望みに変わりはないな」

「ええ、でもそんな恐ろしいこと……」

オルテスは絶句して次の言葉が出なかった。

「何が恐ろしいことだ。お前には世界的なピアニストになりたいという野望がある。その野望こそが重要なんだ。成し遂げようとする強い意志があれば何も恐れることはない。その意志を貫くためにこそ、あらゆる手段をつくし、努力していくのだ。そのためにこれからの五年間がある。自分のピアノを手に入れ、一流の先生について、しっかり音楽的センスを磨き上げれば、その先にお前が望む世界的なピアニストとしての名声が待っている。他人を蹴落としてでもお前は上りつめたい山に登りきるのだ」

最早、オルテスは蛇に狙われたネズミと同じだった。

「いいか、落ち着いて聞け。お前は世界的なピアニストになる前に、まず中国のリン・チャオヤンを入賞させる必要がある。お前の働きでカワイへの打撃は一応成功したが、残念ながら来宮華音は再演奏が許されてしまった。来宮を何とか抑えなければリン・チャオヤンの入賞はおぼつかない。念のため何人かの審査員は買収したが、肝心のゴドフスキー教授だけは厳として拒否している。……もし教授が我々の企みを外に漏らすようなことがあればすべてが終わりだ。意味は判るな。……つまり、邪魔な奴は誰であろうと排除しなければならないと言うことだ」

男は一気に話し終えるとグイッと酒をあおった。

オルテスは口の中がパサパサに乾き、声すら発することが出来なかった。

「いいか、明日すべての演奏が終わったら、イワノフ教授がゴドフスキー教授を誘って新世界のはずれにあるクラブへ行く。その帰りのタクシーを拾うには、新世界通りとS路が交差する横断歩道を渡らねばならない。その時をねらって車を突っ込むのだ」

「……そんな……」

オルテスは震えだした。いかに一流のピアニストになりたいとはいえ、なんと恐ろしい話に乗ってしまったのか。人を殺すくらいならピアニストの夢など、もうどうでもよかった。

「わかったな。ただ教授に向かって車を走らせればそれでよい。いいか背が低く、太っている方がゴドフスキー教授だ。暴走車による交通事故に見せかければ成功だ。やった後、お前はバルバカンのはずれの林の中で車を捨てろ。後始末は俺たちがやる。発覚する心配は全く無用だ」

「……」

「いいか、俺はお前の将来のことを思い、おまえを信じたからこそ全てを話した。この話を知ったからには、もうお前は後戻りは出来ないのだ。もしやらなければ、ゴドフスキー教授と同じことになる。分かるな！」

ファイナル二日目、四人の演奏が終わってホールは万雷の拍手のうちに終了した。審査員たちは重圧から解放され、ホール二階の右側にある審査員控え室に引き上げてきた。誰もが疲れ切っている。この二日間で『ショパンピアノ協奏曲』を八回も聴き続けたことになる。細部に渡って神経を張りつめて聴いていると、体の芯まで疲労感が溜まってくる。

「あと一日ですね」

ゴドフスキー教授はイワノフ教授にそう声をかけると、どっかと椅子に腰を落とした。

「ファイナルともなれば、みんなが優秀ですからね、優劣を決めるのは大変です」

とイワノフ教授。

「仰る通り。誰が選ばれてもおかしくないくらいです」

「どうです教授、疲れほぐしにちょっといっぱい」

ゴドフスキー教授が酒好きということは調査済みだ。

「よく知っている店があるのでご案内しますが」

「じゃザレスキ教授も誘いますか」

「……二人だけにしませんか、お話ししたいこともありますし」

「……先日の話ですか」

「いや、あれは考え直しました。教授に言われなきゃ、とんでもない過ちを犯すところでした。深入りしなくて良かったと思っています、ありがとうございました。今日はその埋め合わせということで」

「そういうことなら……、参りますか」

ゴドフスキー教授は思いのほかあっさりと受け入れた。

店へ入ると二人は若い女を交えて趣味の話で盛りあがり、ウイスキーボトル二本を開けると外へ出た。ゴドフスキー教授の足下がふらついている。

「大丈夫ですか。タクシー乗り場まで送りましょう」

「いやいやご心配なく。今日はご馳走になりました。後一日です。頑張りましょう。ではまた明日」

黒い車は交差点から三十メートル余り離れた場所に止まっている。オルテスは二人が店を出て横断歩道に向かうのを見届けるとエンジンキーを回した。緊張のあまり手が震えた。コンクールでピアノの鍵盤に向かう時の比ではなかった。

信号が変わり、二人が交差点を渡り始める。オルテスは震える足でアクセルを勢いよく踏み込み、ゴドフスキー教授に向かって突っ込んだ。鈍い音がして黒い固まりがボンネットに乗り上げ飛んでいった。あとは無我夢中で車を走らせた。心臓が張り裂けるようだった。遠くでパトカーの叫ぶ声が聞こえた。

オルテスは予定通りバルバカンの奥の林にたどり着いた。林の茂みに男の乗った車が待っていた。

「うまくいったのか」

オルテスは乾いた口を開けたが声も出せず頷いた。

「よし、お前は早く家へ戻れ。あとはこっちで処分する。何も心配するな。ことが収まったら、こちらから連絡する」

オルテスは男の指示通りに明るい表通りまで走るとタクシーに乗り込んだ。

男はフロントが破損した車に乗り込むと近くのヴィスワ川に架かるグダルスキ橋を渡り、向こう岸の街外れにある車の解体屋に走り込んだ。一人の男が山積みされた廃車の奥から現れた。

「予定通りだ。後は頼む」

男は黙って頷き、クレーンを運転しオルテスの車を吊り上げ破砕機に投げ込む。見届けると男は止めてあったもう一台の車に乗り込んで勢いよく走り出して行った。


オルテスはアパートへ着いても震えが止まらなかった。一睡も出来ず朝になって家主に届く新聞を広げた。見出しの大きな記事が目に飛び込んでくる。

『ショパンコンクールの審査員イワノフ教授事故死！

昨夜十一時四十分、新世界通りで乗用車が激突！

轢き逃げと思われ、現在、黒いトヨタ車を捜索中……』

一瞬オルテスは頭の中が混乱した。

――審査員イワノフ！　イワノフ！　――

死んだのは狙ったはずのゴドフスキー教授ではなくイワノフ教授だったのだ！

電話が鳴った。男からだった。

「お前はゴドフスキー教授の見分けもつかないのか！　これですべてが終わりだ！覚悟しておけ！」

オルテスは返事も出来ず受話器を落とした。

抹殺

ソフィアが二日後にウィーンへ帰るというので、夏恋が一緒にショッピングをしたいと言いだした。女同士がいいだろうと黒木はひとりポーランドTV局へ行き、依頼していたビデオのコピーを受け取ることにした。

黒木と別れた二人は、メインストーリのイエロズリムスキュウエ通りを南へ一キロくらい歩いて、新世界通りへ入った。ワルシャワでも最もおしゃれな店が並んでいる。二人はウインドーショッピングしながらおしゃべりに余念がなかった。

夏恋がウインドーの薄いピンクのドレスを見ながら、

「あら、素敵！　私もこんなドレスを着て舞台に立ってみたいわ」

「あなたならきっとピンクがお似合いね。美しすぎて審査員もきっと魂を奪われてしまうと思うわ」

「審査することも忘れて？」

夏恋が笑う。

「そうね。あまり美しすぎて演奏なんかどうでもよくなってしまうでしょ。私が男ならきっとそうなるわ」

夏恋は嬉しそうにウフフとポーズをとる。

「そう言えば、華音さんが明るいオレンジのロングドレスで演奏する姿は本当に素敵だった。演奏は最高だし、観客も魂を奪われていたわ。ピンクのあなたとオレンジの華音さんとピアノ・デュオなんかできたらきっと素敵だったでしょうね」

夏恋は急に黙ったまま歩き出した。

「ごめん、想い出させてしまった？」

「ううんいいのよ、むしろ想い出したいから」

それからも二人はウインドウをのぞきながら結構な距離を歩いた。

「ねぇ夏恋さん、スイーツ食べない？」

「良いわね！　少し歩きすぎたからちょうど良いわ」

二人は意気投合して店に入った。彩り豊かに何種類ものスイーツが並んでいる。

「あなたは何にする？　そうね、私はこちらのマコヴィエツにしようかな」

「あれは何？」

「ああポンチュキね。ポーランドの代表的なスイーツよ。中にフルーツジャムやローズジャムが入っていてとっても甘いの。私も大好きよ」

「じゃ私はそのポンチュキ」

二人はスイーツを受け取ると椅子に座った。

「この黒いのは何かしら？」夏恋がスプーンで口へ運ぶ。

「ケシの実。あ、ケシの実といっても食用の実だからアヘンは含まれてはいないのよ。どう？　食感に慣れない人もいるかもね」

「大丈夫、とても美味しいわ」

二人のスイーツ談義は長々と続き、カフェを出てからもまたウインドーショーッピングしながら女同士の果てしないおしゃべりが続いた。


夏恋たちがショッピングを楽しんでいる頃、ポーランドTV局では騒ぎが起きていた。黒木が局内のカフェで待っているとアンナが慌ただしく駆け込んできた。

「黒木さん大変！　オルテスが死んだ！」

「え！オルテスが！　どういうことだ！」

「ワレサが現場に行っている。見たところ死体はオルテスに間違いないって！」

「本当か！　見間違いってことは」

「それはないと思う、何度も会っているんだから」

思わぬ展開に二人とも動転していた。

「どこでなんだ！」

「森の中、ワジェンキ公園の森の中よ！」

「ワジェンキ公園！」

「遊び廻っていた男の子が茂みに迷い込んで発見したらしいの」

黒木は咄嗟に、華音を発見したときのことを思い浮かべた。

「僕も行ってみる」

「止めなさい！　警察が動いているから少し様子を見るのよ。何故死んだのか、いや殺されたのかも知れない。これまで私たちはオルテスを追っていたでしょう。もし殺されたんだとしたら、下手に動くと私たちまで疑われることになりかねないわ。兎に角様子が判明するまでは、うかつに動かないで。ワレサが戻れば、何か様子が判るかも知れない」

黒木は心臓の動悸を抑えることができなかった。

それから二十分もしないうちにワレサが戻ってきた。

「とにかく公園全体が立ち入り禁止で、運び出されるところをチラッと撮れただけだがほぼオルテスに間違いない」

「ほぼだって？」

「いやオルテスに間違いない」

「殺されていたのか！」

「そんなこと俺に分かるかい。警察だってこれからだろうが」

「本当にオルテスだとしたら……私たちが追いまわしたせいかしら。脅されているとも言っていたわよね」

「口封じかも知れん」

「怖い！」アンナが大袈裟に身震いをする。

「だから言ったろう。あまり深入りするとやばいって」

「警察は、華音は自殺と断定しているんだから、オルテスと繋がりがあるなんて思いもしないだろうしね」

「調べて欲しいって警察には言えないしね」とアンナ。

「うかつに言ったらこっちまで疑われる。オルテスへの恨みを晴らすために夏恋が俺たちに殺させた、なんてことになったらどうするんだ」

「止めなよ！　ワレサはすぐ悪のりするんだから」

「……」

「オルテスが言えなかった人物って誰だったのかなぁ」

「……とにかく警察がどう動くか、しばらく静観しよう」

いつになくワレサが真剣な顔になる。

「そうした方がいいわ」

アンナが言い、黒木は困惑した。成り行きにまかせてただ待っているほど時間はない。やっと掴んだ糸をたぐり寄せていけば、きっと何かが分かると期待していたのに。

現れた男

旧市街の広場は薄暗く、周りの建物の窓には既に明かりが点いている。黒木は広場の中央にある人魚像の前に立ち腕時計をのぞいた。約束の時間はとっくに三十分は過ぎている。オルテスの死んだ顔が浮かんでは消えていく。更に三十分経った。知らない街とはいえ夏恋が一時間も遅れるのはおかしい。黒木はさすがに不安を憶えアンナに電話を入れた。アンナは笑っていた。

「振られたのね。女同士じゃ話が盛り上がって、あなたのことなんてとっくに忘れているよ。今日は良くない日だから早く帰って寝なさい。毎日探偵のまねごとで疲れも溜まっているでしょ」

冷ややかなアンナの声に、黒木はいささかムッとして、近くで軽く食事でもして帰るか、と歩き出した。そこへ黒いコートを着た一人の男が声をかけてきた。

「黒木さんですか」

「？……」

黒木は曖昧に頷いた。全く知らない男だった。

「ちょっと話をしませんか」

「……どこかで会いましたか？」

「何度か会っています。もちろん貴方は気がついていなかったと思いますが」

「ポーランドＴＶ局のスタッフですか？」

「まあ、座ってからお話しましょう」

「人を待っているので」

「来ません」

「え？」

「来宮はやって来ません」

驚く黒木にかまわず、男は先に立って広場を横切り路地に入っていく。路地からまた広い表の通りに出ると赤い看板のある小さなバーらしい店に入った。

「ウォッカでよいですか」

男は勝手に決めて二つ注文した。出されるとグラスを持って、

「お近づきに乾杯」

黒木は慌ててグラスを持つと合わせた。一気にのどに流し込むと胃袋がカーッと炎上する。

「待たされて腹も減っているでしょう。後で軽いものでも摂りましょう」

男はポケットから名刺を出してテーブルの上に置いた。

「探偵事務所ですか？」

「元刑事でしたが現在は探偵事務所をやっています。ワレサとは長い付き合いです」

「そうでしたか。いや、先ほどから妙な気持ちになっていました」

「貴方がコンクールにおける事件に興味を抱かれていることはワレサから聞いていました。もっと早くお会いしたかったのですが私もなかなか時間がとれないものですから。それで申し訳ないんですがホテルを出られた時から、後を付けていました。依頼主がどんな人物か知っておくのも仕事の範囲ですからね。日本とは遠く離れていますし、頻繁に会って打ち合わせすることも出来ません。調査には費用もかかることですし、ワレサが知人であっても曖昧なまま進めるわけにはいきません」

「それで待ち合わせのことはワレサにお聞きに……」

「なに、二人の会話から盗みました」

「？……」

「調査依頼の出所は黒木さんと言うことでしたし、……生憎オルテスが殺されてしまいました、いや、殺されたと断定するのは早すぎますが、貴方がまだ調査を続けられるつもりなのか、どこまで真剣なのか、経済的な心配はないのか。……いや申し訳ない、探偵の仕事は依頼主も含めて疑うことから始まるのです。待ち合わせ場所も女性二人の会話から判っていました」

「あの二人は何故約束通りに来なかったんでしょう」

「すっかり忘れていたと騒いでいました。もう帰ってしまったかも知れないって。それでソフィアさんが夏恋さんを送って、自分は叔母さんの家に行くと」

「はあ、二人ともいい加減なもんだ」

「若い女性はそんなもんでしょう」

黒木は拍子抜けして怒りも萎んでしまった。

「じゃ、ホテルへ帰ったということですね、まったく」

「後のことについては私は知りません。私はタクシーを飛ばしてここへ来ましたから。貴方がまだいらっしゃるかどうか賭けてみたのです」

「……」

「今回のショパンコンクールには私も興味を感じていました。しかるべき候補者が落ちたり、事故があったり、人が死んだり、おかしなことがいくつもありました。……実は他からの依頼もあり、前から調べていました」

「他の依頼主といいますと」

「それは言えません」

「来宮華音の件では何か分かっているのでしょうか」

「幾つか分かっていることはありますが、すべてはこれからです」

「分かっていることといいますと？」

「ショパンコンクールもスポーツのオリンピックと同じで国家の威信が掛かっています。単なる一個人の競争ではありません」

「それは判りますが、来宮華音の自殺とどう繋がるのでしょう」

「自殺かどうかはさておき、端的に言いますと中国の文化芸術省と楽器メーカーが関わっていると思われます。つまり来宮華音は国家がらみの大きな陰謀のうねりに巻き込まれ、犠牲になったとも考えられると言うことです。実はズブロフスキーという男が関わっています」

「ズブロフスキー？」

「ズブロフスキーはポーランド系ロシア人で、もとKGBの諜報部員でしたが、三年前、中国の華楽公社から楽器市場の調査を依頼されていました。販売戦略を練っているうちに最も効果的なのが、有名なコンクールで華楽公社のチャイニィPを使った優勝者を出すことでした。ですが新興のチャイニィPの契約ピアニストになる演奏家は一人もいなかった。そこでズブロフスキーは華楽公社と相談の末、一つの策を考え出しました。そして利用されたのがオルテスだったんです。オルテスはグランドピアノと住まい、音楽学校で学べるという甘い誘いに乗ってしまったと言うわけです。だが罠にはまったオルテスにはすぐにもやらねばならないことがあった。優勝候補と思われる来宮華音の演奏を妨害することでした」

それはピアノ事故という形で成功したが、倒れる華音の姿を見てオルテスは動揺した。同じピアニストを目指す者として、それはみるに忍びない出来事だった。

ここまではオルテスの言ったことと一致している。

「ズブロフスキーは審査員の交通事故殺人事件にも見え隠れしている男です」

「警察は何か掴んでいるのでしょうか」

「調査は進んでいるようですが、ズブロフスキーは決して表には出てきません。そのためにオルテスたちを利用しているのです」

「華音の自殺にも関わりがあるのでしょうか」

「それは今のところ何とも言えません。おいおい事実は判明してくるでしょうが、来宮華音については『自殺』として一応処理されている事件ですから、よほど新しい事実が出てこない限り、警察が追求することはないでしょう」

「……」

探偵は鞄から数枚の写真を出して見せた。

「え！　これ……」

黒木はわが目を疑った。写っていたのは審査員イワノフ教授とアントニーが額を付き合わせるようにして話し込んでいる姿だった。

「アントニーとイワノフ教授が関係あるなんて想像もできない」

「二人をご存じでしたか。……実は審査員イワノフは内偵を頼まれていた重要人物の一人でした」

「来宮華音と関係がありますか？」

黒木が乗り出すようにして訊いた。

「いえ、あなた方の問題とは関係なく、ショパンコンクールに関連する贈収賄事件についてです。私はイワノフの動向を探っていました。ある日、教授の後を追っていたら、そこへこの若者が現れたのです」

コンクールに関わっていたとはいえ、二人の繋がりは考えにくい。

「その疑惑にアントニーも関わっているということですか？」

「贈収賄事件に直接関わっているかどうかははっきりしません。二人がよく連絡を取り合っていたのは確かです。しかし、イワノフも死んでしまいましたし、今となっては確かめようもありません」

「アントニーが……まさか……」

華音のことを掠めるように話は意外な方向へと転がっていく。黒木はますます深い霧の中へ迷い込んでいくような気がした。

拉致

黒木は探偵と別れてホテルへ戻ると、まず夏恋の部屋のドアをノックした。返事はなかった。まだ帰っていないのか！　少々腹が立ち、自分の部屋へ戻るとシャーワーを浴び、夏恋の帰りを待った。ベッドに横になっているうちにうっかり眠ってしまったようだ。気が付いて時計を見ると、すでに深夜の十二時を回っている。電話を掛けてみた。呼び出し音は聞こえるが出る気配はない。一度切って、しばらくしてまた掛けた。応答はなかった。廊下へ出るとまた夏恋の部屋のドアを叩いた。矢張り何の反応もない。急いでフロントまで降りた。

「五〇三号室の来宮夏恋は帰っていますか？」係はキーを調べていたが、

「お戻りになっていません」と素っ気ない。

この時間まで一人で出かけているのは不自然だ。路に迷ってしまったのか。だとしても人に尋ねることくらい出来るだろう。それとも何か事故に遭ってしまったのか。不安が駆けめぐり黒木は外へ出ると夏恋が行きそうな場所を探し歩いた。だが探しようもなく歩き疲れてホテルへ戻った。

そこへ電話が鳴った。飛びつくようにして受話器をとった。

「黒木か」

重い男の声だった。

「そうです」

「女は預かっている」

「え！……君はだれだ？」

「女を返して欲しかったら、あれこれ嗅ぎ回るのは止めろ！」

「……本当に夏恋はそこに居るのか」

「ここではない。探してもむだだ」

「条件は何だ」

「さっき言っただろ、手を引け！　オルテスの二の舞になっても良いのか。警察へ知らせたら女は殺す」

「ま、待ってくれ……分かった」

「本当か」

「約束する。だから夏恋を直ぐ返してくれ」

「それじゃ簡単すぎるとは思わないか。証拠を示せ」

「どうすればいい？」

「直ぐ日本へ帰れ。二人分の航空券を手に入れショパン国際空港で待て」

「……直ぐというわけにはいかない」

「延びればそれだけ女が辛い思いをすることになる。それでよいのか」

「……」

「良く考えろ、すべてお前次第だ。すべてから手を引き、直ちに日本へ帰れ！」

「帰れば良いのか」

「そうだ。明日、日本行きルフトハンザ航空二十時五分に乗れ」

「明日？」

「そうだ。女を助けたいならそうしろ！」

「……分かった。明日……つまり十三日、ルフトハンザ航空二十時五分だな」

黒木は念を押した。

「そうだ。女は五分前、搭乗口へ連れて行く。お前一人で来い。もし警察が張り込んでいたり、時間にお前が現れなかった場合、女は永遠に日本へは帰ることはない」

「分かった。指示どうりにする。だから必ず夏恋を連れてきてくれ」

「じゃあな」

悲痛な黒木の声に返事もせずに電話は切れた。


黒木はまんじりともしない一夜を明かすとアンナに電話を入れた。

「今日の夕方、日本へ帰ることにした」

「え！　今日！　急に何よ、まだ何も解決していないじゃない」

「仕事でどうしても帰国せざるを得なくなった」

「仕事？　夏恋は納得しているの」

「一人残すわけにはいかない。後のことは日本へ帰ってからまた連絡する」

「もう逢えないの」

「随分世話になったが、済まない、後で埋め合わせはする。時間がないんだ。ワレサにも伝えてくれ」

「……残念ね」

事実を言いたかったがじっと堪えた。もし心配から不穏な動きをされたら危険な事態を招く恐れがある。

急いでフロントに頼んで夏恋の荷物をまとめ、タクシーを予約した。夏恋は無事に現れるだろうか。夕刻になって空港へ急いだ。胸がきりきりと痛んだ。

通関ぎりぎりの時刻が迫った。人混みの中を青ざめた顔でゆっくりと歩いてくる夏恋の姿が見えた。男がぴたりと寄り添っている。近づくと黒木は素早く夏恋の手を取って税関を通り抜けた。

飛行機が飛び立っても夏恋は怯えたまま座席で震えていた。髪はほつれ、げっそりやつれて見えた。黒木は夏恋の手をしっかり握りながら心臓の鼓動が収まるまで時間がかかった。

夏恋が話せるようになったのは優に三十分は経ってからだった。


二日前の夜、夏恋はソフィアと別れてホテルへ戻ると、直ぐにシャワーを浴びて黒木の帰りを待った。きっと怒っているだろう。

ドアをノックする音がした。急いで開けるとフードコートを着た見知らぬ男が立っていた。咄嗟にドアを閉めようとしたら、

「夏恋さん、心配しないで。私はオルテスさんからの伝言を伝えに来ただけです」

「オルテスさん？」

「そうです。ご存じでしょう」

夏恋はオルテスが死んだとはまだ知らなかった。

「華音さんのことでお話ししたいそうです」

夏恋は心が逸った。

「大事なお話と言っていました。いま近くのカフェバーで待っています」

「ホテルへは来てくれないのですか？」

「黒木さんと一緒なので、来れないのです」

「黒木さんもいるの、分かったわ、少し待って」

何の疑いも持たなかった。

夏恋は急いでコートを羽織ると男の後に従った。ホテルを出て交差点を渡り、ワルシャワフィルホールの方に向かって歩いた。男は裏路地へ入り黙って歩き続ける。

「どこまで行くんですか？」

「もうすぐです」

夏恋は急に不安を覚え立ち止まった。その時、二人の男が現れて黒い布を被せられた。抵抗する余裕もないほどすばやい行動だった。

気がついたら、さるぐつわをされ手足を縛られて床に転がされていた。部屋は薄暗く何処だか判らない。隅でひとりの男が監視していた。

寝返りを打つことも出来ない。そこへもうひとりの背の高い男が現れた。男はくわえていた布と手足の紐を解かせると意外にも優しい声で言った。

「大丈夫か」

「……あなたは誰なんです」

「あれこれ嗅ぎまわるのは止めろ」

「私はただ来宮華音の自殺の真相を知りたいだけなんです」

「知る必要はない。これ以上深入りすると命を落とすことになる」

「……分かったから帰して」

「お前から黒木にも手を引くように言うのだ」

男はすべて知り尽くしているようだった。そして電話をかけた。相手が黒木だということは察しがついた。だが電話に出ろとは言わずに切った。

「話はついたんでしょう、帰らせて！」

「手荒なことはしない。時が来れば開放してやる」

二人の男に監視されて丸一日が過ぎた。

日が暮れて、口を塞がれたまま車に乗せられた。

「いいか。空港で黒木が待っている。見つけても声を出すな。普通に歩くんだ。少しでも騒いだら殺す。忘れるな」

空港へ着くと一人の男がエスコートするような格好でわき腹に銃を突きつけたまま歩いた。走り出したかった。体が硬直して交わす脚がぎこちなかった。黒木のそばにたどり着いても声が出なかった。

《第三楽章》

ポーランドから逃げ帰って、黒木はしばらくの間仕事も手に付かず放心状態で過ごした。このままでいいのか……、何度か自問してみたが、どうすべきか答えは浮かんでこない。重大な事件には相違ないがポーランドでの出来事であり、自ら深入りしたことから起きたことなので日本の警察に届けるのもどうかかと思われた。

ワルシャワでの後のことについては探偵とワレサたちに任せることにして、華音のビデオをまとめ上げ、一日も早く事件のしがらみから抜け出すことだ。

次の仕事のこともあり、久しぶりに黒木はＭＴＢ音楽事務所へ顔を出した。プロデューサーの吉村は憔悴した顔で頭を下げる。

「支払い、延びたままになっていて本当に済まない。スポンサーが手を引いてしまったので取材費用の一切が我が社の負担になってしまい……言いにくいことだけどギャラを半分にしてもらえないですか。これまで何度もお世話になってきたのに……本当に申し訳ない」

「……」黒木は慰める言葉も見つからなかった。

「今月末の支払いが出来なければ我が社は、いよいよ倒産です。兎に角、資金回収の方法を考えなければ……」

番組はテレビ局の計らいで予定通りに放送されていたが、ＭＴＢ音楽事務所は倒産した。

何か喉につかえた思いで毎日を過ごしているうちに秋になった。

十二月に入ると、黒木は三週間の予定でパリへ飛んだ。極寒のパリで絵を描き続けた画家の佐伯祐三の生涯を撮るためだった。パリの冬は低くどんよりとした厚い黒雲が空を覆い、ほとんど太陽が顔を出すこともなく、夜には決まって雨が降り、夜明けには止むといった日が続いた。雪こそ降らなかったが、零度に近い寒さの中でのロケは厳しいものだった。

帰国して直ぐに編集作業に入った。正月には来宮家からも誘いがあったがそれどころではなかった。

一月末になって作品が完成したところへ突然、達彦から電話が入った。夜遅くなってやっと指定の居酒屋を尋ねると達彦は一人奥のテーブルで待っていた。

「あ、こっちです！　忙しいのにすみません」

薄暗いせいもあってかすっかり落ちぶれて見えた。

「お久し振りです、今日はまたどうされました？」

「いやぁ、急に話しをしてみたくなったんで……フランスで佐伯祐三の番組を撮られたそうですね」

「よくご存じで」

「美術雑誌の記事で知ったんです」

「そうですか。やっと編集が終わったところで、間もなく放送されます」

「非常に楽しみですね、実は佐伯祐三が好きで、僕は絵を描くようになったんです」

「えーそうでしたか。佐伯が好きだなんて珍しいですね。熱狂的な支持者も少なくないとは聞いていましたが」

「小さいときから絵は描いていたんですが、高校生になって将来どうしようかと悩んでいたとき、美術展で佐伯の絵を見たんです。美しいパリの風景は多くの画家が描いていますが、佐伯のように、何気ない建物の壁や扉に真正面から戦い挑むように描いた絵を見たことはなかったんです。黒く荒っぽい筆使いの中に狂気のような気迫を感じました。特に『扉』の絵は、すべてを拒絶しているようで、それでいてわずかに開きかけた扉の隙間にわずかな救いを感じました。佐伯は扉の向こうにいったい何を見ようとしていたんだろって……とても引き込まれるような思いがしました」

達彦は饒舌だった。

「仰る通りだと思います。僕も『扉』の絵を番組への導入の手掛かりにしました。高校生で、そこまで感じられたというのは相当なものだと思います。正直言って僕は作品を撮るまで佐伯祐三を良く知りませんでした。ですがパリの凍えるような寒さの中で、彼が描いた場所にカメラを据えている内に、佐伯の画にたいする狂気ともいえる情熱を感じるようになりました」

「実は僕も佐伯の描いた場所を探しにパリへ行ったことがありました」

「そうでしたか、それは相当な思い入れですね。それでパリへもよく行っていらっしゃったんですね」

「よくじゃないですが……、美術館を巡ったり、佐伯が描いたと思われる場所で二、三枚描いてみたりもしましたが、とても佐伯の足元にも及ばないもので……。佐伯が学んだこともあるというモンパルナスにある美術研究所にも数日通ったりもしました」

「僕たちもその教室で、学生たちの裸婦のデッサン風景を撮影させてもらいましたよ」

「本当ですか。番組にも出るんですね。楽しみです！」

「佐伯が心酔していたブラマンクの家やゴッホが亡くなった宿なども訪ねましたよ」

「そうなんですか、羨ましいです。僕も連れて行って貰いたかったですね。モンマルトルの画家の広場には友人が連れて行ってくれたんですが、そこには僕が気になる画は一枚もなかったですね」

「そうでしょうね。パリ在住の荻須高徳画伯も同じようなことを仰っていましたよ」

「え、あの荻須高徳画伯にも会われたんですか？」

「ええ、でも残念ながら佐伯の番組を撮るずっと前のことで、荻須画伯は佐伯の最後を看取った人でしたからね」

「え、そうだったんですか」

「順序が逆だったら佐伯の最期をもっと詳しく聞くことが出来たんですけど」

「惜しかったですね」

「その時はモンマルトル近くのご自宅を訪ねたんですが、画家の広場はあまりお薦めできません。観光客相手の画家が多くて本物の画家はほとんど居ないと仰っていました」

「分かります。でも……貧乏絵描きは生活資金を稼ぐためにそうしなければならないこともありますから、一概に非難は出来ないと思います」

「そうですね。中には観光客相手の絵描きになってしまい、自分を見失っていく人も多いということじゃないですか」

「絵を描いていたって収入にはなかなか結びつかないですからね、時には心が折れそうになることもありますよ」

「絵に限らず芸術の世界は似たようなものじゃないですか。僕もフリーで仕事をしていますからそこのところは良く分かります」

「その点、華音はそういったことをよく理解していました」

「そう言えば夏恋さんとはお会いになることはあるんですか？」

「いいえ、全く……、華音が亡くなってますます縁遠くなりました。黒木さんは？」

「このところ忙しかったので逢っていませんが、時々ですが電話があります」

「いいですね、黒木さんは信頼されていますから……その後、華音のことをいろいろ調べられたとか」

「ご存じだったんですか」

「ええまぁ、それとなく聞こえてくるんで……。何か分かったんですか」

「いいえ、コンクールを取り巻く黒い影が渦巻いていて、我々が簡単に手出しできる問題ではなかったので、危険を感じて帰ってきました」

「そうでしたか……」

「華音さんが写っているビデオだけは集めてきました。一応仕上がっているんで今度お会いするときにはＤＶＤを差し上げますよ」

「是非お願いします。彼女はたった一人の味方で、彼女がいたからこそ僕も絵を描き続けることができたし、僕にとっても貴重な形見になります」

「佐伯に負けない絵を描いてくださいよ」

「僕を認めてくれていた華音に応えるためにも、そうしたいんですけどね……彼女が亡くなってしまい、これからも続けられるかどうか分からなくなりました」

「……どうしてですか、頑張ってくださいよ」

「残念ながら、経済的に行き着くところまで来てしまって……」

「来宮家が土地を売却したことから、いろいろとご苦労があったようですね」

「ご存じだったんですか？」

「少しばかり聞きました」

「……華音はそんな事情もよく知っていたんで僕には同情的でした」

「……なるほど。……来宮さん親子も優しい方に思えますけどね」

「僕も決して悪い人とは思ってはいません。僕と華音とのことについては猛反対でしたが、それでも華音がいたからこそ、仕方なくというか、我慢して見守ってくれているところもありましたからね。だけど僕のおやじも死んでしまい、華音まであんなことになってしまったんで、何となく借金のことだけが表立ってきて……」

本当に話したかったのはこのことかと思ったが、黒木は深入りするのを避けた。何不自由ない華音の生活と売れる保証もない貧しい絵描きの達彦では、母親の不安な気持ちも分からないでもない。

黒木は自分の生き方と照らし合わせながら、心の支えであった華音を失った達彦の気持ちは理解できた。だが、達彦が華音の死との関係で完全に白とは言いきれないものが残ったままだった。

亡霊

すべてがうやむやのまま二年が過ぎた。

その間、夏恋とは折に触れて逢ってはいたが、お互いに事件のことについてはあまり触れようとはしなかった。次第に想い出すことも少なくなっていた二〇〇七年の春、探偵から簡単な報告と共に請求書が届いた。コンクールにまつわる贈収賄事件で数人が逮捕されたこと、イワノフ教授轢き逃げ事件で容疑者としてオルテスが浮かび上がったが、本人がすでに死亡しているため、未解決のままになっているということ、陰の男として取り沙汰されていたズブロフスキーは、依然として行方不明のままになっていることなどが書き綴られていた。

そして二〇一〇年、『第十六回フレデリック・ショパン国際ピアノコンクール』の年になった。

アンナから今年の取材はどうするのかと連絡があったが、契約不履行で音楽事務所が倒産したことから、番組制作は新しいプロダクションに移っており、さすがに黒木への要請はなかった。

テレビ局で企画会議をしているところへアンナから電話が入った。

「黒木！　大変！　直ぐワルシャワへ来て」

「久しぶりというのにいきなり何事だよ。元気なの？」

「声を聴けば判るでしょ。そんなことより何とかならない」

「簡単に言うなよ。こっちは東京なんだよ。仕事でもないのに、そうかって飛んでなんて行けないよ。今年はショパン生誕二百年だから、そちらは盛り上がっているんだろうね」

「そのことよ。三次予選が始まったところなんだけど、話題になっている出場者がいるの」

「ほー、わざわざアンナが連絡してくるくらいだから、よほど素晴らしいコンテスタントなんだろうね」

「もう、会場はその子のことで持ちきり。審査員も聴衆も百年に一人の逸材ではないかと騒いでいるわ」

「そう言われると聴いてみたいものだね」

「それがね……よく似ているの」

「だれに？」

「来宮華音に」

「え？　華音に？……他人のそら似ってことじゃないの。世の中には自分に似た人間が三人は居るっていうからね。で、日本人なの」

「中国人……」

「中国人？　そんなことだろうと思ったよ。だいたい君たちは日本人と中国人との区別もつかないんだから」

「だから黒木に電話したんじゃない。来て、よく見てみてよ」

「似ているくらいで行く訳にはいかないよ。華音は死んでいるんだし」

「じゃいいわよ。ただ報せてあげただけ。私も忙しいから、じゃまたね」

「ま、待てよ。本当に似ているの」

「本人じゃないかと思うくらい、だから報せたの」

黒木はなんだか胸騒ぎがした。

一旦会議の席に戻ったが、アンナの言葉が引っかかって何も頭に入らない。まさか、そんなことはあり得ないと思いながら夏恋に電話をした。

夏恋は動揺していた。

「ねぇ、逢って見たい。嘘でもいいからワルシャワへ行きたい。お母さんにも話すわ。黒木さんも一緒に行って！」

「ちょっと待て、僕は仕事があるし、簡単には決められない」

「何とかして、お願い！」

黒木は電話したことを後悔したが、自分も行きたい気持ちを抑えることは出来なかった。

結局、仕事を中断し来宮家族とワルシャワへ飛ぶことにした。


ショパン生誕二百年を祝う垂れ幕がショパン国際空港からの沿道を埋め、ワルシャワ市内はコンクールムードで華やいでいた。

着いた日は丁度ショパンの命日で、夜になって聖十字架教会のミサに参列した。懐かしかった。ワルシャワフィルの演奏によるモーツアルトのレクイエムが教会を揺さぶるように響き渡る。それはこれから始まる新しいドラマの幕開けの予兆のようでもあった。

翌日からファイナルステージが始まることになる。会場は超満員だがアンナの計らいで入ることができた。

会場はアンナの言葉通り、中国人チャン・ホンファの話で持ちきりだった。三人目の演奏が終わり、名前がコールされた。

「エントリーナンバー二八、チャン・ホンファ、中国。演奏曲、『ピアノ協奏曲第二番へ短調』、使用ピアノ……カワイ」

アナウンスが終わると同時に、客席の後方にいた中国人らしい数人の男がざわつき、慌ただしく扉の外へ出て行くのが見えた。

「なんでカワイだ！」

「ピアノはチャイニィPだろう！　言い間違いか！」

ロビーに集まった男たちは浮き足立っている。華楽公社の関係者たちだ。

「チャン・ホンファの入賞は間違いないだろうが、ピアノがカワイじゃ意味がない！」

「これでは日本のピアノに甘い汁を持って行かれるだけだ！」

「どうします。黙って見ているわけにはいかないでしょう」

「ここで話すのはまずい。外へ出よう」


拍手が沸き起こり、赤いドレスに身をまとった髪の長い女性が登場した。

夏恋が「あっ！」と声を上げた。

華音にそっくりだった。

アンナが電話をしてきたのも無理はなかった。ただ華音よりはずっと年上に見える。五年の歳月を考えれば華音だって、大人の美しい女性に変貌していても不思議はない。

オーケストラの序奏が終わり、目を閉じていたチャン・ホンファの指が鍵盤の上に落とされる。軽やかに舞う白い両手から紡ぎ出される美しい旋律がオーケストラの波に乗ってホールを満たしていく。死んだはずの華音がいま目の前でピアノを弾いている。華音であって欲しい。それが叶わぬなら亡霊でも良い……。夏恋と秋子はすでに涙を浮かべて見入っている。前回の取材で演奏の後インタビューに答えてくれた華音。黒木は華音と交わした言葉を昨日のことのように思い出した。美しい音の波は寄せては返し、甘く切なく揺さぶりを繰り返す。五年前を思い巡らしているうちに演奏が終わり、拍手が沸き起こった。チャン・ホンファは係員に促されて一度はステージに戻ったが、鳴りやまない拍手を後に二度と姿を見せることはなかった。

「逢ってみたい」

感情を抑えきれず懇願するように呟く秋子を見て、黒木はアンナと目を合わせると、一般客の出入りが禁じられているホール脇の扉を押した。楽屋通路の奥でチャン・ホンファは取材陣に囲まれ質問を浴びている。見え隠れする姿が益々華音ではないかという想いに駆り立てる。たまりかねて夏恋が人混みを分け入ろうとすると屈強な二人の警備員に遮られた。近づくことも出来ないうちにチャン・ホンファは質問を遮ると階段を下りていった。

黒木が仕事で来ていたら取材の特権でインタビューを申し込むなり、何らかの手が打てるのだが今回はそうはいかない。

「ね、アンナさん、何とかして、間近でチャン・ホンファさんに逢ってみたい、話をしてみたい、お願い」

夏恋が泣かんばかりに懇願する。

「ガードが特別きついみたい。入賞が近くなると本人よりも周りが気を遣うようになるから。二日後には入賞者の表彰式と続くから、ちょっと考えさせて」

「入賞は間違いないと思う。頼むよ」

黒木が念を押す。

入賞者発表は夜の十一時だ。

黒木と夏恋たちは近くのレストランで食事をし、会場へ戻った。みんながまるで華音の結果発表を待つような錯覚に陥っていた。一番落ち着きのないのが夏恋だった。

「容姿だけでなく、ピアノを弾く姿勢、振る舞いまでそっくり。ほとんどの人が一番を選ぶのに、二番を選んでいるところも華音ちゃんと同じ。私は華音ちゃんに思えてならないんだけどお母さんはどう思っているの」

「そう思いたいけど、そんなことはあり得ないのだし……、夢を見ているだけでも十分。チャン・ホンファさんを応援するわ」

まだ一時間も前だというのに、発表会場となっているエントランスホールは混雑している。黒木たちは直ぐにチャン・ホンファの姿を探したが、見つけることはできなかった。

相変わらず予定を二時間近く遅れて、審査員長のヤン・シモノヴィッチ氏に続いて審査員全員が螺旋階段に並んだ。

挨拶に続いて六位から発表されていく。いつもの通りだ。名前が呼ばれる度にフロアから歓声が上がる。そして一位と二位を残すだけとなり会場が静まりかえった。まだチャン・ホンファの名前は出ていない。黒木たちは固唾をのんで注目した。

「今回は残念ながら二位入賞者はありません」

悲鳴にも似たどよめきが起き、ブーイングさえ聞こえた。そして最後に、

「第一位……、チャン・ホンファ、中国！」

とコールされると会場全体に歓声が上がった。誰もが予想した結果に満足し、祝福すべくチャン・ホンファの姿を探したが、どこにも見当たらなかった。そればかりか翌日の表彰式にも姿を見せることはなかった。

黒木は、第十五回コンクール時の華音のケースと、あまりにも似ているような気がしてならなかった。

秋子と華音の落胆は大きかった。ホテルへ向かって歩きながら、

「チャン・ホンファさんに逢いたかった」と夏恋がいい、

「ええ、逢いたかった。どうしてあの人は表彰式にも現れなかったのかしら」

並んで歩きながら秋子も相槌を打つ。

「せっかくワルシャワまで来たのだから是非チャン・ホンファさんに逢っておきたい。私は他人のような気がしないの。支援してもいいと思っているくらいよ」

「なんとかならないか、もう一度アンナさんに相談してみましょう」

ホテルへ着くと黒木は来宮母娘を部屋へ送り、自分の部屋へ入ってベッドへ倒れ込んだ。

あれは本当の華音ではなかったのか……。いや、自分が今ワルシャワにいること自体、夢ではないのか。五年前を想い出しながら、黒木は何か得たいの知れない魔物がのしかかってくるような気がした。

翌朝早くに枕元の電話が鳴った。黒木は朦朧とした気持ちで受話器を取った。

「……黒木さんですか?」

「そうです」

「……逢いたい……アントニーです」

黒木は、はっとして受話器を握りなおした。

「アントニー! お、アントニーか。どうしているんだ。元気なのか」

「はい……」

「逢いたい、今どこにいる」

「……僕は監視されています。直ぐに出てくることができますか」

「行く、どこでも行くから場所を教えろ」

黒木は来宮親子へのメッセージをフロントに残し、ワジェンキ公園へタクシーを飛ばした。

ショパン像の裏にうずくまるようにしてアントニーが潜んでいた。約束通り、黒木は気づかないふりをして森の中へ下り始めた。その後をアントニーが距離を置いて続いた。黒木が茂みの中にあるベンチに座るとアントニーも離れて座った。そして二人は初めてお互いに顔を見合った。アントニーは非常にやつれて見えた。

「……少しやせたか……」

アントニーは寂しげに笑った。

「もう二度と黒木さんには逢えないと思っていました。会場で黒木さんの姿を見かけた時、心臓が止まるかと驚きました。それで……どうしても黒木さんに逢いたくて……」

「同じだよアントニー。僕だってどんなに逢いたかったか。一緒に仕事した仲じゃないか」

「なのに僕は……黒木さんを裏切ってしまった」

「何があったか知らないが、こうして逢う気になってくれただけでもどんなに嬉しいか」

「済みません。本当に僕はおかしくなっていた。許してください」

「そんなことよりどうしていたんだ、また、みんなと一緒に仕事しようじゃないか」

「……みんなに合わせる顔がない」

アントニーは大きな体を丸めるようにして涙を落とした。深い森の奥で、梢を離れた枯れ葉が冷たい風に舞って二人の肩に落ちた。

アントニーの告白

華音が演奏中に倒れた日、アントニーは夜遅くになって黒木たちから開放された。その帰り道でズブロフスキーに声をかけられた。

「毎日じゃ疲れるだろう。どうだ、ちょっと付き合わないか。気分転換も必要だろう」

それはオルテスという駅伝選手から、アントニーがタスキを渡されたようなものだった。このときアントニーの走るべきコースは決められた。

半ば強引に近くのバーへ連れて行かれた。そこにはイワノフ教授の姿もあった。直ぐに女たちが来て隣りに座り、酒を飲みながらふざけ合っていたが、ズブロフスキーは女たちを追い払い話を切り出した。

「力を貸してくれないか」

「……」

「コンクールのことで相談に乗って欲しいんだ」

「コンクールの何をですか？」

「最終日の朝、来宮華音をホテルまで迎えに行ってほしい」

「え、来宮華音を？」

「そうだ知っているよね。顔見知りでもある」

「そうですが……、迎えに行く必要があるんですか」

イワノフ教授が言葉を挟んだ。

「ピアノ事故があったりして、彼女は非常にナーバスになっています。彼女の身の上にこれ以上何か起きて、再演奏が出来なくなってしまっては可哀想すぎます。審査員の一人として気の毒でなりません。守ってあげたいし、ぜひ入賞してもらいたいんです」

「彼女の入賞は僕も願っていますが、僕なんかに頼まれる意味がよく分かりません」

「俺ではだめなんだ。ほらこの顔だろう。むしろ警戒されてしまう。君なら何度か会っているし来宮華音も安心してくれると思うんだ」

アントニーは華音の憂いに満ちた美しい顔を思い浮かべた。

「たのむ。謝礼に一万ズヴォッティ出そう」

とテーブルの上にぽんと札を置いた。アントニーは驚いてズブロフスキーの顔を見直した。

「君は来宮華音を迎えて車に乗せてくれれば、それだけでよい。運転は別の者がする。頼む協力してくれ。来宮華音を無事に会場まで運び、ぜひ一位入賞を果たしてもらいたいんだ」

「……それだけですか」


アントニーはそこまで話すとオルテスのことに触れた。

「実はショパンの命日の夜にも企みがあったんです」

アントニーはオルテスに打ち明けられた話だと言って続けた。

「来宮華音がファイナルに進んだ。この分では一位入賞を果たすだろう。それだけはどうしても阻止しなければならない。明日はショパンの命日だから来宮華音も必ず出てくるはずだ。混雑に紛れて指をやれ。軽く傷めるだけでよい」

オルテスは群衆が移動し始めたとき、華音の背後に張り付いて機会を伺った。だが、華音の傍には常に男が連れ立っており、思ったように傍に寄ることが出来なかった。傍にいた男というのは達彦であったのは言うまでもない。

話を聞いて黒木は大きな溜め息をついた。

「そう言えば、上からカメラで狙っていたとき人混みを分けて華音に迫ってくる男がいた」

「そうです、オルテスです」

「そうだったのか。……だが、事故らしいことは何一つ起きなかった」

「……その通りです。それが返って華音さんを不幸に落とすことになってしまったんです」

「何故だ」

「オルテスが失敗したため、私が華音さんを拉致することになってしまったんです。ご存じのようにファイナル二日目の夜、オルテスの失敗でイワノフ教授が事故死しました。そんなことからオルテスは心神喪失状態でおかしくなってしまったんです」

「華音さんは協会から迎えに来たと告げたら、驚いてはいましたが素直に車に乗りました。ズブロフスキーは華音さんを守るためだと言いながら、まるで反対のことを僕にやらせていたんです」

アントニーは声を震わせながら続けた。

「ズブロフスキーは華音さんを誘拐すると同時に、僕も一緒に拉致したんです」

「拉致！」

「実は僕も車の中で眠らされていて、気がつくと薄暗い地下室のような所に転がされていました。そして、……そこで初めて彼らの計画の全てを知らされたんです。……協力しなければ二人とも殺すと」

黒木は戦慄を憶えた。

「それで……華音さんは殺された！」

「いえそれは違います。華音さんはずっと眠ったままで、僕はその間何度も地下室に連れ込まれ、お前が協力しなければ華音さんは殺すと脅されました。……まるで拷問と同じでした」

「ひどい奴らだ」

「……責められているうちに……協力することがむしろ華音さんの将来のためになるのではないかと思うようになりました。そうすれば、華音さんは必ず世界的なピアニストとして世に出る日が来ると……。それに……、許してください。そうすれば、ぼくも華音さんのそばにいることが出来ると……」

アントニーは深くうな垂れ、涙を落とした。黒木は黙ったままアントニーの背中に手を回し優しく叩いた。しばらく沈黙が続いた。

深い森に陽の光が洩れはじめ、散歩する人の数も増えていった。

アントニーは気をとり戻すと再び話し始めた。

「僕が協力することを認めると、ズブロフスキーはあることを命じました」

「あること？」

「ええ、それは恐ろしいことでした」

黒木は固唾をのんで次の言葉を待った。

「オルテスがワジェンキ公園の南側へ車で運んできたベージュ色の寝袋を、森の中まで運ばされました。それが死体だということは直ぐに分かりました」

「死体！」

「そうです。運ばされたのは華音さんが自殺したとされるあの場所へです。……青白い顔が見えたとき、僕は来宮華音が二人いるのではないかと心臓が止まるほど驚きました」

「まさか、本当の来宮華音ではないのか！」

「それはありえません。華音さんは館で眠っていましたから」

「と言うことは別人……つまり替え玉で、本物の来宮華音は生きている」

「そういうことになります」

「しかし、ワルシャワ警察は来宮華音と断定している」

「それはパスポートを持っていたからでしょう。交換するだけで済むことですから。そっくりだということの他に、年齢、血液型まで一致していたからでしょう」

「そんなに都合よい替え玉が見つかるか」

「中国は人口十三億の国です。国家が企み、今の整形医学からすればそっくりな人間なんて直ぐにでも出来るのではないでしょうか、万一に備えて早くから用意されていたとしか思えません」

「それにしても、死体をわざわざ人目にさらすというのはどうしてだ。秘かに葬むれば済むことではないか」

「それは日本人である来宮華音が死んだことを、明確にしておく必要があったからです。ショパンコンクールで中国製のピアノを使った中国人の入賞者を出すことで世界の市場を獲得し、同時に文化芸術面での成果を誇示し、軍事増強や言論の弾圧など人権侵害といった世界の批判の目をかわすことを狙ったものだと思います」

「来宮華音はそのために利用されたと言うことか」

「そうです。そのために華音さんは五年もの間監禁され、二〇一〇年のショパンコンクールの一位入賞を目指して、ゴドフスキー教授によって英才教育を施されていたんです」

「ゴドフスキー教授！」

信じ切っていたあの教授が……、黒木はあまりのショックに打ちのめされたが、かろうじて言葉を繋いだ。

「華音さんはそうしたことを自覚していたのか」

「いいえ、華音さんは完全に過去の記憶を失っています。拉致されたあと医学的に何らかの処置を受けていたのではないかと思います。いえ洗脳されたといった方が当たっているかも知れません。目覚めてからは音に対する感覚が研ぎ澄まされるようになり、演奏は前にも増して上達していきました。兎に角、華音さんは華楽公社のチャイニィＰでコンクール入賞を果たすことのみのために生かされてきたと言うことです」

「だが、最後になってピアノをチャイニィＰからカワイに替えてしまった」

「そうです。一位入賞を果たしても、華楽公社のチャイニィＰでなければ目的を果たすことにはならないんです」

「計画をぶち壊したとなるとただではすまないだろう」

「そのことです。華音さんは抹殺されます！　僕は殺されても仕方ないですが、華音さんだけは何としても助けたい。華音さんには何の罪もないんです。こうして黒木さんに逢っているのもそのためです」

ショパン像のある広場には観光客の姿も見え始めた。

「お話したいことは沢山ありますが、そろそろ行かなくては……華音さんが心配するといけませんから」

「いま何処にいる」

「ある小さなホテルに隠れています。済みません、後で必ず連絡します」

アントニーは周囲を気にしながら慌てるように茂みの中へ消えていった。

来宮華音はチャン・ホンファとして生きている！

しかも、殺されるかもしれない！

驚くべき事実を知ったが、来宮親子に伝える勇気はない。しかも命が危ないとあっては返って不安に陥れることになる。

黒木は心臓の鼓動をおさえながら、これから先どうすればよいのか呆然と立ちつくした。

その日の夜になってもアントニーからは何の音沙汰もなかった。黒木は秘密を胸にしまったまま、まんじりともせず連絡を待った。諦めて眠りにつこうとした頃に電話が鳴った。

「明日、ショパンの生家へ来れますか。観光客を装うのです」

「分かった、必ず行く。みんな一緒でいいんだね」

「ええ、はっきりした時間は言えませんが、正午ごろまでには行って待っていてください」

それだけ言って電話は切れた。

翌日の朝、アンナの車でジェラゾヴァ・ヴォラへ向かった。

夏恋たちには単なる見学と言うことにした。

生家の前にはすでに観光バス三台と数台の乗用車が止まっている。観光客に混じって一通り見学した後広い庭へ出た。

「華音ちゃんもきっと来たことがあるわね」

「来ているわよ。とても憧れていたもの」

呟く秋子に夏恋がそっと寄り添い、二人はゆっくりと小川の辺を歩いていく。黒木とアンナは見守るように黙って後へ続いた。川辺りの木の葉から光がもれ、ピアノの音が流れてきた。

「あら」夏恋が声を上げた。

「ショパンの『ノクターン・遺作』よ。誰かが弾いている」

「……レコードじゃない？　夏の間なら演奏が披露されることはあるんだけど」

アンナが怪訝そうな表情をする。

「これは生の演奏よ。きっと誰かが演奏しているんだわ。行ってみましょう」

夏恋は先にたって建物の方へ急いだ。観光客がサロンの窓辺に集まっている。夏恋たちも白いカーテン越しに室内を覗いた。

「ほらお母さん早く。矢張り弾いているわ」

ピアノを演奏する長い髪の女性の横顔が見えた。秋子の視線が釘付けになった。

夏恋も目を懲らした。演奏する女性の顔がこちらを向き、夏恋は思わず声を上げていた。

「……チャン・ホンファ！　いや華音ちゃん！」

「何言っているの、華音ちゃんは亡くなっているのよ」

「でもお母さん、華音ちゃんよ！」

「止めて夏恋ちゃん！」

秋子は強く否定しながら食い入るようにチャン・ホンファを見詰め涙を流した。

死んだはずの華音がそこに現れたとしか思えない。

そうなんです！　華音さんなんですよ！　黒木は叫びたいのをぐっと堪えた。本来なら最高の朗報のはずだが、アントニーもまた自分の口から華音だと言い出すことは出来なかった。夏恋と秋子は涙を浮かべて演奏するチャン・ホンファの横顔を見つめ続けた。

演奏が終わり拍手がわき起こった。散っていく観光客を分けるようにして、秋子と夏恋は急いでサロン側の扉を押した。アントニーもアンナも黙ったまま後へ続いた。ちょうどチャン・ホンファが椅子から立ち上がったところだった。

秋子はチャン・ホンファに近づくとまじまじと見て、震えながら、

「あなたは……」

華音ちゃんでしょう！と叫びたくなるのを堪えて、慌てて言い換えた。

「チャン・ホンファさん、とても素敵な演奏でした。感動しました」

「ありがとうございます」

チャン・ホンファは秋子を見て、微笑み、軽く頭を下げた。

夏恋は一歩踏み出すと秋子をそばに引き寄せて言った。

「私たちを知りませんか？」

チャン・ホンファは怪訝な顔をした。

「……どこかでお逢いしましたかしら……」

「日本へは行かれたことは？」

「ありません。行けたらいいなと思っています」

秋子は溢れそうになる涙を堪えながら優しく言葉を継いだ。

「コンクールでのあなたの演奏を聴きしました。あまりにも素晴らしすぎて、感動で涙が出るほどでした。大ファンになりました。ぜひ日本へ来て、素敵な演奏を聴かせて下さい。心から応援します」

「ありがとう、本当にそうなると嬉しいわ」

チャン・ホンファが笑みを返して去ろうとするのを夏恋が追いすがった。

「あの、五年前のショパンコンクールで来宮華音という日本女性と逢いませんでしたか」

「き、の、みや?……」

チャン・ホンファは考える風に小首をかしげていたが、「ごめんなさい……」と申し訳なさそうな表情をしてサロンから出て行った。アントニーがその後を追った。

「華音の名前も知らなかった。……私たちのことも判らなかった……」

秋子はそばにあった椅子に砕けるように腰を落とした。

「皆さんはここで待っていてください」

黒木は外へ出て、駐車場に向かうアントニーの後を追った。

「アントニー、これからどうする」

「あまり長居は出来ません。また夜になったらご連絡します」

アントニーはそれだけ言って、慌ただしく発車した。

黒木はサロンへ戻ると秋子たちを小さなショパンの胸像のある木陰へと案内した。そして、観光客の姿が見えないのを確認すると重い口を開いた。

「実は……あの二人は追われているんです」

「え？　だれに？」夏恋が驚いて黒木を見詰める。

「ファイナルの演奏でチャン・ホンファが大きな間違いを犯してしまったからです」

「間違い……って、演奏をですか？」

秋子が不審そうに訊く。

「いえ、ファイナルで必ず使うように指示されていた中国のピアノから、演奏直前になって日本のカワイピアノに乗り換えてしまったからです」

「それがどうして良くないんですか？」と夏恋。

「詳しいことはいずれお話します。もし中国当局に捕まったら殺されるかも知れません」

「えっ！」

夏恋と秋子は言葉を失った。

「何とかしなければ……隠れていると言ったって、ワルシャワでは時間の問題よ」

アンナが不安そうに言い、四人は塞ぎ込んだまま駐車場へ向かって歩いた。

秋子が急に足を止めた。

「日本へ連れて行きましょう！」

「え、日本へ？」黒木が驚く。

「私が責任を持って二人の面倒を見ます」

「そうよお母さん！　日本へ連れて行きましょう！」

「それは良いわ！　日本へ脱出させた方が安全よ」

「そう言ったって、通関の問題もあるし、国家間の問題にまで発展しかねない」

「躊躇している場合じゃないでしょう、二人が殺されたらどうするの！　大使館には知っている人もいるから相談してみる」

「……分かった。俺たちだってマークされているはずだから、ゆっくりは出来ない。とにかく急いでホテルへ戻ろう」

暮れかかる田舎道を車は市内へ向けて走った。

脱出

森の館に二台の黒い車が走り込み、ズブロフスキーと三人の男が屋内に雪崩れ込む。そして家捜しをした後部屋の真ん中に残されたピアノの周りに集まった。

「アントニーの野郎、チャン・ホンファと逃げる気だ。二人を絶対に逃がすな！　アントニーはすべてを知っているし、女も記憶が戻れば取り返しのつかないことになる」

男たちは再び外へ出ると車に向かった。

「恐らくワルシャワから外へ出るはずだ。お前たち二人は中央駅へ行け！　俺たちはショパン国際空港へ向かう。いいか、必ず捕まえるんだ！　場合によっては殺してもよい！」

暮れ行く森の中を二台の車が慌ただしく走り出して行った。


その頃、一台のタクシーがショパン国際空港へ向かって走っていた。乗っているのは黒木と秋子、そして夏恋を装ったチャン・ホンファの三人。

一〇分遅れでワレサの運転する車が空港へ向かった。こちらにはアンナと夏恋とアントニーの四人。万一襲われるとすればこの車になるかも知れない。夏恋は覚悟が出来ていた。

「チャン・ホンファさんは無事に出国出来たかしら」

夏恋が心配そうに言う。

「大丈夫でしょう。彼女には日本のパスポートを渡してあります」

「日本のパスポート？」夏恋が不思議がった。

「……私がずっと保管していたものです。……実は、チャン・ホンファは……」

アントニーは華音だと言いそうになって慌てた。

「彼女にはガラ・コンサートのために日本へ行くとだけ伝えてあります。実は……彼女は過去のことは一切憶えていません」

「え、どういうこと？」

「記憶を失っています。ですが、日本へ行けば記憶が回復することがあるかも知れません」

突然アンナが不安の声を上げた。

「つけてくる車がいるわ」

アンナニーが後ろを伺いながら、

「ズブロフスキーの手下たちかも知れません。急いで下さい！」

と叫び、ワレサがスピードを上げる。

奴らには夏恋とチャン・ホンファの区別はつかないだろう。もし捕まればアントニーだけでなく夏恋の命も危ない。空港は目前に迫っている。

「空港の混雑の中では奴らも手出しは出来ないはずだ。着いたらアントニーは夏恋と一緒に税関へ走れ」ワレサが強く言う。

「ほとぼりが冷めたら必ず帰ってきて」と寂しそうにアンナがアントニーに言う。

「はい、アンナさんに逢うために必ず帰ってきます」

二人はしっかりと手を握り合った。

アントニーは空港へ着くと夏恋の手を引いて走った。気がついて追いかけてくるズブロフスキーと二人の男の姿が見えた。

「夏恋さん、僕にかまわず税関へ走り込むんです！　後はなんとかします！」

「だめよ！　アントニー！」

追いついた男の前にアントニーが立ち塞がった。

「彼女はチャン・ホンファではない！」

「どけ！」

アントニーは自分から男に体を預けた。

ピストルの発射音がしてアントニーが崩れ落ちた。

騒然となるなか数人の空港警備員が駆けつけたが、すでに男たちは姿を消していた。

「アントニー！　アントニー！」

アンナは叫びながらアントニーを抱きかかえた。

記憶の揺らぎ

東京の夜景はすでに眠りにつこうとしている。

黒木は来宮親子と別れ、チャン・ホンファをホテルへ連れて行った。彼女は自分が追われていることは自覚していたが、日本へ来た本当の理由は東京でのガラ・コンサート出演のためと思っているはずだ。アントニーが居ないことに不安がったが、遅れて来るからと、その場を取り繕った。一人にするのは心配だったが、一晩ゆっくりさせたほうがよい。明日迎えにくると言い残してホテルを後にした。

果たしてこれからどうしたものか。

華やかな街の灯りを眺めながら黒木は途方に暮れた。

翌朝、黒木は夏恋にチャン・ホンファを東京案内に連れ出すように連絡を入れ、テレビ局へ顔を出した。先延ばししていた番組取材の確認もあったが、何よりもチャン・ホンファの今後のことを相談する必要があった。

一方、夏恋は黒木の指示にしたがってチャン・ホンファを浅草に連れ出した。東京の風景にどんな反応を示すか知りたかった。だがチャン・ホンファは多くの外国人同様、日本的なものに驚き興味を示すだけで、夏恋が期待するものではなかった。

やはりチャン・ホンファは中国人で華音ではないのだ。

「アントニーと一緒だったら良かったのに」

突然、チャン・ホンファに呟かれ、夏恋は空港でのことを想い出し言葉に詰まった。

「これまでずっと私を助けてくれていたのに、アントニーが居ないと何も分からない」

「そうだわ、アントニーさんが来るまで、私の家へ来ませんか」

「あなたの家?」

「ね、そうしましょう。お母さんも喜ぶから」

「コンサートのこともあるし……」

「心配ないわ、黒木さんが準備してくれているから。ね、そうしましょう。部屋も空いているし、ピアノだってあるから。何も心配いらないわ」

「……アントニーに相談しないと……」

「大丈夫よ、きっと賛成してくれるわよ」

チャン・ホンファは戸惑いを見せたが、ピアノという言葉に心が惹かれたようだった。

二人はしばらく街を歩いた後ホテルへ寄り、成城へ車を飛ばした。

秋子は華音が帰ってきた思いでチャン・ホンファを出迎えた。だがチャン・ホンファは「まぁ素敵なお家ね」と室内を羨ましそうに見渡しながら、歓迎された喜びの表情を見せただけだった。密かに抱いていた夏恋の期待は外れた。

「さ、ゆっくりなさって。貴女の部屋は二階よ。さ、どうぞ」

秋子は先に立って二階への螺旋階段を上がって行く。華音が使っていた十畳ほどの部屋はそのまま残されていた。

「素敵なお部屋！　私が使っていいのですか」

「華音の物がそのままになっているけど、貴女のお好きなように模様替えして下さっていいのよ」

自分の部屋であるはずなのにそれらしい反応は示さなかった。

チャン・ホンファの目に止まったのは矢張りリビングに在るグランドピアノだった。

「触ってもいいですか？」

「もちろんですよ。自分のピアノと思って、いつでも自由に弾いてください」

「嬉しいわ。夏恋さんがお弾きになるの」

「いいえ、私はただ触れるだけ。チャン・ホンファさんの前で、弾けるなんていえない」

「まぁ、ご謙遜。お上手なんでしょう」

「いいえ、とてもとても」

華音ちゃんなら、あなたと同じくらいお上手なんだけど……。夏恋は今にも口をついて出そうな言葉を飲み込んだ。華音であってくれたらどんなに嬉しいか。見守る秋子の目には光るものが滲んでいた。

チャン・ホンファはピアノの上に置いてある写真立てをじっと見つめた。華音が高校を卒業したとき記念に三人で撮ったものだ。

「あら、私が写っているかと思ったわ。夏恋さんのお姉さん？」

「何も憶えていないの」

「え？　きっともう一人の私ね」

チャン・ホンファは冗談っぽく言って笑った。

見れば見るほど華音にしか思えない……、秋子は込みあげてくる感情を抑え、震える声で言った。

「……貴女はどこで生まれたの？」

「中国……」

「なんという街？」

「昔のことはまったく何も憶えていない……」

チャン・ホンファは寂しそうに俯いた。

「気がついたときにはワルシャワにいたわ。毎週、先生が教えに来てピアノに向かっているだけ。ピアノが唯一の話し相手だった」

チャン・ホンファはピアノの蓋を開けると緩やかにショパンの『ノクターン第二十番嬰ハ短調』を弾きだした。

美しく悲しい音色が三人を包み込んでいった。

チャン・ホンファは一向に記憶を取り戻す気配もなく、客人の存在としての振る舞いから抜け出す様子は見られなかった。夏恋は時間のある限りピアノを弾き続けるチャン・ホンファの傍で聴き入った。

「夏恋さん、あなた何か弾いてくださらない」

「駄目よ。下手だから」

「いいのよ。上手に弾こうと思わないで、楽しく触れるだけでいいのよ」

「困ったわ」

夏恋は、童謡の『赤い靴』を指一本で弾き始めた。幼い頃、華音と並んでよく弾いた曲だった。耳を傾けていたチャン・ホンファの瞳の奥がかすかに光った。そして夏恋の隣りに座ると伴奏を始めた。

二人は顔を見合わせて微笑んだ。

「聴いたことあるでしょう」

「……どこか遠いところで聴いたことがあるような、懐かしいような曲……」

「小さい頃よく並んで一緒に弾いていたわ」

「わたしと？　あなたと？」

「そうよ」

「そんなことあった？」

チャン・ホンファは冗談と受け止めたのか、笑いながら弾き続けた。秋子は食事の支度をしながらそんな様子に涙を落とした。


久し振りの一家団欒のつもりだった。だが、チャン・ホンファはサラダのトマトには箸を付けない。華音も小さい頃から決してトマトを食べようとしなかった。秋子は、矢張りチャン・ホンファは我が子、華音に違いないと思った。日が経つにつれて、チャン・ホンファはピアノを弾く手を止めて考え込むようになった。また、窓辺に立って外を眺めていることが多くなった。居たたまれなくなって秋子は思わず声を掛けた。

「華音ちゃん！」

チャン・ホンファははっとして振り向いた。瞳にうっすらと涙が滲んでいた。

「あ、ごめんなさい。うっかり華音ちゃんなんて呼んでしまって」

チャン・ホンファはそっと秋子に身体を寄せた。

「……無理に連れてきたりしてごめんなさい。帰りたいのね」

「なんだか変なの。アントニーはどうしたのかしら。薬を忘れて来ちゃった、もう何日も飲んでいない」

「何処が悪いの？」

「よく分からない。ただ飲まないといけないといわれていて……、本当にアントニーはどこへ行ったのかしら」

チャン・ホンファはうっすらと涙を浮かべていた。

「……私は……私はだれなの。自分で自分が判らなくなりそうなの……。この家に来てから、見るもの、聴くものが何だかどこかで見たことのあるような、聴いたことがあるような……。華音さんの小さかった頃の話を聞かせて」

秋子は胸の奥から湧き出る愛しさに身体が震えた。抱き寄せるようにしてソファに並んで座ると、静かに話し始めた。

「華音は難産で生まれてきたの。結婚した当時、私は身体があまり丈夫でなくて、出産は無理だと言われていた。でも私はどうしても生みたくて……幸い無事に生まれてくれた。それは嬉しくて嬉しくて天にも上る気持ちだったわ。……そう、華音が一歳のお誕生日にお父さんがおもちゃのピアノを買ってきたの。小さな手で鍵盤を叩く、音が鳴る……それがとても楽しくて嬉しくて、目が覚めるとピアノに触り続けて遊んでいた」

チャン・ホンファはしんみりと聞き入った。

「直ぐに夏恋が生まれたんだけど、まるで性格の違った娘に育った。夏恋は活発で物怖じしない娘なのに、華音は物静かでピアノを弾いていると機嫌が良かった。育てるのも本当に手のかからない娘だったわ」

チャン・ホンファは遠く思いを馳せているようだった。

「聡明で美しくてピアノが何より上手で……まるで貴女そのもののように……」

秋子はチャン・ホンファを抱き寄せ、頭を撫でながら涙を落とした。


夏恋から電話が入った翌日、黒木はビデオテープを用意して来宮家を訪ねた。チャン・ホンファが何か思い出しそうだと聞いたからだ。もちろんそのままにしておくべきことではなかった。どうすべきか弁護士にも相談したりしていた。

「少しは慣れましたか」

「ええ」

チャン・ホンファは控えめに頷いただけだった。夕食が終わって、黒木はビデオを取り出してセットした。

「みんなで一緒に観ませんか。ショパンコンクールの記録ビデオです」

「まあ素敵。テレビで観たことないから嬉しい」

黒木がかけたのは華音が参加した二〇〇五年の第十五回コンクールだった。ワルシャワの街やコンサートホールの画面になるとチャン・ホンファは声を上げて喜んだ。そして第三次予選で華音が演奏するシーンになった。

「あら、私の演奏?」

「……これは来宮華音の演奏です。二〇〇五年のコンクールだから貴女は出場していないはずでしょう」

「?……」

チャン・ホンファは戸惑い始めた。

「とても素晴らしい演奏だわ。どこから何処までも私の思い入れとぴったり。まるで私と同じ。何だかとても不思議な気持ち」

秋子も夏恋も辛い思いでそんなチャン・ホンファを見守り続けた。矢張りチャン・ホンファは自分が華音だとは思っていないようだった。

ファイナルのシーンになって、問題の第三楽章に入った。チャン・ホンファは直ぐにピアノの音の変化に気がついた。

「ピアノが! ……」

次の瞬間、華音が取り乱して倒れるシーンになると、食い入るように観ていたチャン・ホンファは「あっ！」と声を上げ、まるでテレビの中の華音にシンクロするように床に崩れ落ちた。

「華音ちゃん！」

思わず秋子は叫んでいた。チャン・ホンファは気を失って返事をしない。

黒木はチャン・ホンファを抱き起こした。

「夏恋さん、お医者さん！」

駆けつけた医者は、

「特に異常はありません。ショックを受けて気を失っただけのようです。時間が経てば自然に気がつかれるでしょう」

「これまで飲み続けていた薬があると言っていましたけど」

「その薬はありますか」

「いえ……切れていてしばらく飲んでいないと」

「薬があれば何の病気かはすぐに判断できるんですが……、一度精密検査をされたがいいですね」

医者は注射を一本打っただけで帰っていった。

心配そうに付き添う三人を前に、チャン・ホンファは深く眠り続けた。

「相当ショックを受けたようですね。このことが刺激になって記憶が戻るといいですけどね」

黒木が慰めるように言う。

「お母さん！」

チャン・ホンファの長い髪を撫でていた夏恋が声を上げた。

「お母さん。ホクロ！」

秋子が覗き込んだ。

「胸元は！」

夏恋がブラウスの襟を広げて叫んだ。

「華音ちゃんよ！　間違いなく華音ちゃんよ！　ほらお母さんホクロが！」

秋子はホクロを確認すると大粒の涙を落としながら抱きすがった。

「やっぱり華音ちゃんなのね、華音ちゃんなのね」

それは小さい頃からあった斜めに並んだかわいい二つのホクロだった。夏恋の右の胸にも一つだけあった。幼い頃二人は一緒に風呂に入っては触れあってふざけたものだった。

チャン・ホンファと来宮華音とは同一人物だという決定的な証拠だった。

「華音さんに間違いないんですね」

黙って見守っていた黒木が改めて尋ねた。

「ええ、間違いありません」

「そうよ。百パーセント華音ちゃんに違いないわ」

「ＤＮＡ鑑定をすれば医学的にも証明出来るでしょう」

「ぜひお願い……」

秋子はそういって眠っている華音の髪を優しくかき上げた。

華音の睫毛がかすかに動いた。

「……華音ちゃん……」

秋子は思わず我が子の名前を呼んでいた。

チャン・ホンファは、いや来宮華音は自分から体を起こし、長い夢から目覚めたように周囲を見渡し怪訝な表情を見せた。

「私、どうしたの？」

「疲れていたのね。少し眠っていただけよ」

秋子はそういってから恐々と訊ねた。

「わたしが誰だか判りますか？」

華音は一瞬キョトンとしたが、

「……き、きのみや、さんでしょう？」

「わたしは？」と夏恋が続ける。

「……か、れん、さん？」

「この人は？」夏恋が黒木を指した。

「……アントニー？　いえ……テレビの……」

「そうよ。じゃ、あなたの名前は？……あなたは誰？」

「チャ……チャン・ホンファ……」

「嘘でしょう！　来宮華音、来宮華音でしょう！」

「止めて夏恋ちゃん！」

　堪えきれなくなって叫ぶ夏恋を秋子が止めた。

「どうして？　やっぱり私は来るべきじゃなかったのね」

　チャン・ホンファは取り乱したように言って涙を溜めた。

「落ち着いて。みんな貴女が好きなんです。……話したいこともあるし、ちょっと気分転換に外へ出ませんか」

　黒木は秋子に目配せすると華音を連れて外へ出た。すでに陽は落ちて近くの公園には街灯が点っている。ゆったり林の中を並んで歩きながら、黒木は意を決して口を開いた。

「大事なことなので落ち着いてよく聞いてください。あの家族はあなたを来宮華音だと信じています。実はビデオに登場した来宮華音は……あなた自身なのです」

「えっ！？」

　彼女は驚いて立ち止まった。

「なぜ、そんなことが言えるの？」

「来宮華音は、あのコンクールのピアノ事故の後、姿を消しました。そしてワジェンキ公園の森の中で自殺体で見つかったのです」

「え！……。でしたら来宮華音はもうこの世にはいないでしょう」

「そこなんです。……あなたの、うなじと胸元には小さなホクロがありますね」

「えっ、どうして知っているの？」

「あなたが気を失っている間に夏恋さんが見つけたんです。顔かたちが似ているだけではなく、ホクロの位置まで来宮華音と同じなんです」

「……でも私はチャン・ホンファ……」

「そう思っているあなたに、こんな話をするのは酷ですが、あなたが過去を記憶していないことと繋がっているのではないか、と僕は思います」

チャン・ホンファは混乱したようにベンチに座り込んだ。

「何かが隠されているんです。あなたは十分な中国語が話せますか？　過去の記憶を失っても、言葉まで忘れることがあるでしょうか。そう思いませんか」

「……だとしたら……私は……」

「来宮家にいて、昔のことをいろいろと思い出すように心がけてください。その内、きっと何かがはっきりしてくるはずです」

それから半月あまりが過ぎた。

華音は演奏をしないときは、窓からぼんやりと空を眺めていることが多くなった。また、黒木が持ち込んだコンクールの記録ビデオを何度も繰り返し見ていることもあった。

少しずつ何かが変化しているようにも見えた。

そんなある日、黒木は達彦を伴って来宮家を訪ねた。秋子の許しがあったからだった。

達彦が応接間へ入ると、ピアノを弾いていた華音は人の気配に手を止めて、入り口に佇んでいる達彦を見た。

「……華音……」

達彦は込みあげる感情を抑えきれず、涙を零しながら華音に近づいた。

一瞬戸惑いを見せたチャン・ホンファの瞳に光が走った。

次の瞬間、「達彦さん!」と叫んで立ち上がった。

みんなが驚いて見守った。

「そうだよ、華音! 僕だよ。達彦だよ!」

「達彦さん! ああ、逢いたかった!」

チャン・ホンファが来宮華音に戻った瞬間だった。

ジェラゾヴァ・ヴォラ（二〇〇五年）

華音はまさか第三次予選に残れるとは思ってもいなかった。

そのことを聞いて達彦もパリから飛んできた。ファイナルへの欲がなかった分、緊張することもなくのびのびと演奏ができた。結果発表まで二日あり、華音と達彦はショパンが生まれたジェラゾヴァ・ヴォラを訪ねることにした。二人は手をつなぎ、肩を抱きショパンが誕生した部屋を見た後、バラの門をくぐり広い庭へ出た。

誰にも邪魔をされない幸せのひとときだった。小川の辺を肩寄せ合ってそぞろ歩き、川面を眺めながら大きな木の下に座った。

「素敵ね……達彦さんと二人でショパンの生まれた場所にいるなんて。まるで夢のよう」

「そうだね。ここにいるのが信じられない」

達彦は華音を引き寄せると肩を抱いた。

遠くショパンの『幻想即興曲』が聞こえた。木の葉を漏れた光が流れる川面に輝いている。二人は立ち上がると手をつないで川辺に沿ってゆっくり歩いた。

「ファイナルに残ったらどうする？」

「そんなことないわ。第三次予選へ残っただけで十分よ。私の人生で最高の経験になったわ」

「でも、もしファイナルに残ったら棄権でもするつもり？」

「入りっこないって」

「残りそうな気がするんだけど僕は。残ったら今度はオーケストラとの競演だよ。一人で弾くのとは違うよ」

「分かっているわ。もしオーケストラと、それもワルシャワフィルハーモニーオーケストラと一緒に演奏できるなんて、夢でもあり得ないことだから思いっきり楽しみながら演奏するわ」

「すごいな、その心臓。長い曲だから……練習しなくって大丈夫？　全部憶えている？」

「さあどうかしら、ソロでは何百回と弾いているから……オーケストラがついているんだし思い出すんじゃない」

「呑気なもんだ。ま、僕もついているからね」

達彦は華音を抱き寄せて軽くキスをした。

セーヌ川の川面が黄金色に染まり夕陽をあびてキラキラと輝いている。達彦と華音は肩を寄せ合い、パリの旅情を満喫しながらポン・デ・ザール橋（芸術橋）まで歩いた。

橋の側面に張られた金網におびただしい南京錠が掛けられている。

「まあ、すごい！」

「恋人たちが永遠の愛を誓って掛けるんだって」

「素敵！　なんてロマンチック！」

「僕たちも誓う？」

「ええ、永遠に……」

達彦はポケットから南京錠を出すと、華音の目の前でぶらぶらさせる。

「あらっ！」

「用意がいいだろう。いやと言われたらどうしようかと思っていた」

「そんなことないわ」

二人は手を添えて南京錠を掛けると、鍵をセーヌ川へ投げ、向かい合うと抱き合ってキスを交わした。二人の輝く視線の先にシテール島のノートルダム寺院が夕日を浴びて美しく輝いていた。


華音の記憶の底から、達彦と過ごした日のことが鮮やかに蘇った。

「達彦さん！」

「もう逢えないと思っていた。夢じゃないだろうね！」

「逢いたかった！」

見守っていた秋子と夏恋は、華音がはっきりと達彦の名前を呼び、抱きついていったことに驚き、感動して声を上げて泣いた。

達彦が、ゆっくり華音の体を離し、秋子の方を促した。華音はじっと秋子を見届け、

「お母さん！」と叫んで抱きついた。

「お帰り華音ちゃん。やっと帰ってきてくれたのね。待っていたのよ！」

「華音ちゃん！」

秋子が華音をふところ深く抱きしめ、その二人に夏恋もすがりついて泣いた。

深い霧から抜け出したように華音の視界が開け、見えるものすべてが確かな意味をもち、過去と現実が繋がった。長い長い旅からやっと我が家に戻って来たようだった。それは待ちに待った感動的なシーンに違いなかったが、これですべてが解決したわけではなく、黒木の心はまだ深い霧の中だった。これまで追い続けてきた幾つかの謎も解けないままになっている。


日ごとに華音は確かな自分を取り戻しつつあった。

黒木は来宮家を訪ねるとショパンの『ピアノ協奏曲第二番ヘ短調』のDVDをかけた。

「あら、これ、オーケストラのカラオケね！　私何度も何度も一緒に演奏したわ。アントニーが用意してくれたの」

黒木は胸が痛んだ。まだアントニーが死んだことは伝えていない。

「このDVDはアントニーたちの力を借りてワルシャワで僕が制作したものです。貴女の役に立っていたなんて、感動です」

「まあ、黒木さんが作られていたの。どんなに私を助け、癒してくれたか知れない。このオーケストラのおかげで私はファイナルでショパンの『ピアノ協奏曲第二番』を安心して演奏をすることができたのです」

華音はピアノに向かうと、ゆっくりとオーケストラに合わせて演奏しはじめた。

みんながその演奏に魅せられ、聴きながら涙を流した。

チャン・ホンファは完全に華音に生まれ変わり、心の奥に閉じこめられていた記憶がひとつひとつ蘇っていった。


ステージで倒れたことは何も憶えていない。

気がついたときは楽屋のソファに寝かされ、人の顔が覗き込んでいた。夢から覚めたようで、それほど気分が悪いこともなかった。

「心配しないでね。あなたに問題があった訳ではないですからね。最終日に再演奏が認められました」

誰かが言ったがもうそんな気力は残っていなかった。ピアノメーカーの担当者は取り乱していたが、華音を知り合いの病院へ運び、付きっきりで看護してくれた。一晩ぐっすり眠ると気持ちも落ち着き、販社の者に送られてホテルへ戻った。そして時間が経つにつれて、再演奏をすることがみんなに応えることだと思い直した。

二日後の再演奏の日になって、ホテルの表に出ると二人の男が待っていた。見たことのある若い男が声をかけてきた。

「お迎えに参りました」

「……ありがとうございます。近いですから歩いていきます」

「案内するように言われているので」

「いいえ、どうぞ」

「私が叱られますから」

そう言われて華音はドアを開けられると後部席に座った。その隣りにもう一人の男が乗り込み、アントニーは助手席に座った。

気がつくと車は会場とは反対方向に走っている。

「何処へ行くんですか？」

「直ぐに分かります」隣りの男がもの静かに言う。

「え？　私はこれから演奏が待っているんです」

「分かっています。ですから練習できる家へご案内するところです」

「あなたたちはピアノメーカーの方ですか？　誰なんですか！」

華音が恐怖を感じたとき口を塞がれた。

「声をかけてきたのがアントニーだったんですね？」

「ええ、でもその時はまだテレビのスタッフで、何度かお会いしている人だな、くらいにしか思っていませんでした」

「隣りに座った男は……この男じゃないですか？」

黒木はズブロフスキーの写真を出して見せた。

「そう、この人です」

「やっぱり」

「知っているんですか」

「ええ」

「アントニーを殺したのもこの男の手下です」

黒木はすんなり言ってハッとした。

「殺した！　殺したって？　アントニーは殺されたの！」

華音は悲鳴にも似た声を上げた。

「……ショパン空港を出国する直前に射殺されたんです」

黒木が目撃したわけではないが、アンナからの連絡で知っていた。華音がズブロフスキーの顔を知っていることから、その後のオルテス殺しにも、おそらくズブロフスキーが関わっていると容易に推察できた。

「アントニーはいつも優しく私のお世話をしてくれていたのに……」

華音のショックは大きかった。そのショックのせいだろうか、華音は様々なことを思い出した。

森の館

どのくらい眠っていたのか分からない。

華音が麻酔から覚めたとき、薄暗い部屋のベッドに寝かされていた。頭がジンジンと痛み、起き上がろうとしても体がいうことをきかない。浮いているようで何かがおかしかった。部屋を見渡してもすべてが二重に見え、まるで古い宮殿にでも幽閉されたような、夢の中にいるような感じだった。

何より不安だったのは、想い出そうとしても何も浮かんでこないことだった。

ここは一体何処なんだろう。華音は豪華に装飾された扉を押して部屋から出た。次第に意識がはっきりしてくると大広間のシャンデリアの下に一台のピアノが置かれているのが見えた。ショパンが生きていた時代、恐らくこんな館のサロンで、着飾った貴婦人たちに囲まれて華麗な演奏をしていたのではないか。華音はピアノに近づき蓋を開けると鍵盤をそっと叩いた。大きなシャンデリアの光をくぐって澄んだ音が高い天井に反射して空間に広がる。この音はコンサートホールの音だ。華音が周囲を見回し、ぼんやりと立ちつくしていると背後に声がした。

「お目覚めですか、チャン・ホンファさん」

メイドなのか老女が恭しく寄ってくる。

「チャン・ホンファって、だれ？」

「あら、寝ぼけていらっしゃるんですね、貴女ですよ」

「わたし？」

「年寄りだと思ってからかっていらっしゃるんですね。……あ、私は貴女のお世話を言いつかっているマリア・パデレフスキです。マリアと呼んでください」

まるでおとぎの国へタイムスリップしたようで、老女はさしずめ魔法使いとでもいうべきだろうか。

「ここはどこなの？」

「ある伯爵夫人の館です。早くに亡くなって空き家になっていたのを、新しいご主人様が現れて借り受けられました」

「ご主人って……誰なの？　私はどうしてここにいるの？」

「それを私に訊かれても困ります。先ほど申し上げたように私はただ貴女のお世話をするように言いつかっただけですから。……お腹がお空きになられましたか。何かご用意いたしましょうか？　あ、それからお食事の後には必ずお薬を飲むよう決められております」

「お薬？　どこか悪いの」

「私は医者じゃありませんから詳しいことは分かりませんが、決められた時間に必ず飲むようにと。決して忘れないようにと。……では私はお食事の支度をしますので、ご用があったら、そこの鈴を鳴らしてください」

老女はピアノの上にある鈴を示すと扉の奥へ下がった。

ピアノの上には何冊もの楽譜と一通の封筒が置かれており、表に『チャン・フォンファ』と記されている。

「チャン・フォンファ？」

つぶやいて封筒を開けるとパスポートが出てきた。開くと自分の写真が貼ってある。

「チャン・ホンファ？　私はチャン・ホンファなの？……」

何度もつぶやいてみたが、いくら考えてもよく分からない。華音は大鏡の前に行き、鏡の中の自分とパスポートの写真を見比べた。確かに自分のようだが、確信が持てない。雲の上に立っているようで実感がない。ピアノへ戻って楽譜を一冊取ると譜面台の上に開いた。見ている内に自然と指が動いた。『ノクターン第一番変ロ短調』の曲が美しい音色となって響き渡った。

「素晴らしい！　さすがですね。ピアノが弾けるようにお元気になられて本当に良かった」

いつの間にか一人の男が後ろに立っていた。アントニーだったが、過去を消された華音は、アントニーが自分を誘拐した男の一人だとは知る由もなかった。

「貴女のピアノですよチャン・ホンファさん。ご自由に弾いてください。先日、調律もやってもらいました。毎週木曜日には一流の先生がご指導に見えます」

「……」

「何かご要望があったら遠慮なく仰ってください」

「……あなたがここのご主人ですか？」

「いいえ、私は貴女が安心してピアノに打ち込めるようにお手伝いするように言い付かっているだけです」

「どなたから？」

「それはその内に分かってくるでしょう。はっきりしていることは、コンクールで貴女の演奏を聴いたあるピアノメーカーが全面的に貴女をサポートしたいといって始まったと言うことです」

「……チャイニィP？　このピアノのメーカーですか？」

チャン・ホンファはピアノに記されている文字を見て言った。

「その通りです。二〇〇五年からショパンコンクールの公式ピアノに選ばれた中国のメーカーです」

チャン・ホンファは軽く鍵盤を叩いた。

「良い音がしているでしょう。日本のヤマハやカワイのピアノより優れていると専門家の間では評判です。ピアニストの貴女に音色についての説明は無用と思いますが」

「……」

「二〇一〇年のショパン生誕二百年のコンクールには貴女はこのピアノを弾いて一位入賞を果たします」

「……どうしてそんなことが言えるのですか？」

「いえ、入賞することになるのです。これから丸五年あります。一流の調律師が調律した一流のピアノで、一流の先生の指導を受け、このピアノと共に一位入賞を果たすのです。そのためにすべてが用意されました。貴女なら必ずそれを達成できます」

完全に意識を取り戻したチャン・ホンファのピアノ漬けの生活が始まった。

そんなある朝、チャン・フォンファは響き渡るオーケストラの音で目覚めた。それがショパンの『ピアノ協奏曲第二番』であることは直ぐに判ったが、不思議なことにピアノの音が抜けている。こんなオーケストラの演奏は聴いたことがない。チャン・フォンファが急いで広間に行くと、カーテンの陰からアントニーが笑顔を浮かべながら現れた。

「おはようございます。朝早くから驚かせて済みません。貴女のためにオーケストラをご用意いたしました」

「このオーケストラの演奏は何ですか？」

「演奏しているのはワルシャワフィルハーモニーオーケストラです。最高の演奏でしょう」

「……」

「実はこれ、オーケストラのカラオケです」

「カラオケ？　ああ、ピアノの部分がないという意味ね」

「そうです、ショパンの『ピアノ協奏曲第二番』のカラオケと言うわけです。このカラオケがあれば、好きなときいつでもオーケストラと一緒に演奏することができます」

「それは素晴らしいわ！」

「でしょう。日本の会社が製作したものですが、実は僕もその製作スタッフの一員でした」

「え！」

チャン・ホンファとして生まれ変わった華音は、それからピアノを身近な友として、あたかもヴィジトカ教会の修道尼のごとく館に籠もってピアノを弾き続ける生活を送った。生涯外の世界へ戻ることを許されない尼僧と違って、四年後には晴れの演奏でコンサートホールを揺るがす拍手に迎えられ、世界へ向かって羽ばたける日がやって来る。自分が誰であろうが、どこにいようがピアノと自由に暮らせる環境があればそれで十分だった。メイドは親身になって身の回りの世話をし、アントニーはマネージャーのように常に身近にいて面倒を見てくれる。毎週一回は必ず調律師がやってきて、ピアノは最高の音色に整備され、同じ日にやってくるピアノの先生が音楽することの歓びを教えてくれる。その先生は世界的なピアニストとして有名なゴドフスキー教授だと聞かされた。

チャイニィPはすっかり体の一部になり、個々の鍵盤は指先と同化していった。感覚は研ぎ澄まされ、楽譜は虹のように華やかな色彩を帯び、立体的に奥深くまで、はっきりと読めるようになった。

そして、ついに二〇一〇年、第十六回フレデリック・ショパン国際ピアノコンクールに出場する時がやって来た。早くも第一次予選でチャン・ホンファの名は注目された。第二次予選へ進むにつれて、百年に一人の天才女流ピアニストの出現、と話題を独占した。

ピアノ選定のシーンを思い浮かべながら黒木が訊いた。

「ファイナルになって何故、チャイニィPからカワイのピアノに替えたのですか？」

「私にもよく分かりません。三次予選まではチャイニィPで演奏するのが当然と思っていたので他のピアノには全く関心がありませんでした。でもファイナルになってステージに並べられた四台のピアノを見たとき、他の人と同じように、せめて形だけでも弾いてみるべきかなと思ったのです。それでカワイピアノの鍵盤に触れたとき、とても懐かしい音に出遭ったような気がしたのです。それだけではなく何故か日本の風景が頭の中をよぎったのです」

「チャイニィＰに五年間も馴染んできたのに」

　黒木の言葉を制するように夏恋が、

「華音ちゃんは、幼い頃からカワイピアノに二十年以上も慣れ親しんできたのよ」と言い、

「夏恋ちゃんが言う通りよ。記憶を失っていても心の奥には、その音色と感触が眠っていたのよ」

と、秋子までが同調する。

「しかし、あなたは華楽公社のチャイニィＰからカワイピアノに乗り換えることが、どんなに重大で危険なことか考えてもみなかったんですか？」

「思ってもみなかった」

「……それで……望まれたとおり一位入賞を果たしました」

「後で知りましたが特別の思いはありませんでした。一位に入賞するとずっと聞かされていましたから」

「発表の会場に姿を見せなかったのはどうしてですか」

「それどころではなかったのです。私は演奏を終えてステージを下りると、真っ青になったアントニー

に急き立てられ、取材陣を振り切って、言われるままにステージの裏を通り、北側の通用口から外へ出ました。アントニーがひどく慌てていたので事態を察することは出来ました」

「外へ出るとかえって危険ではなかったのですか」

「あの日は大統領が来ていて警備が厳重でしたから、関係者でも簡単に楽屋へ出入りすることは不可能でした。演奏が終わるまでには四十分ほどかかるので、その間にアントニーが通用口に車を用意してくれていたのです」

「それでどこへ逃げたのですか？」

「郊外にある小さなホテルです。アントニーに言われて潜んでいました」

「その後、僕たちと空港に向かった訳ですが、驚かれたのでは」

「ガラ・コンサートのことは知っていましたし、日本へ行くと聞いて、むしろ嬉しいくらいでした。五年の間ずっと日本のことを想っていましたから」

「それは何故ですか」

「アントニーがよく日本のことを話していたからです」

「どんなことを？」

「日本人はみんな優しい、親切だ。日本の技術は素晴らしい、あなたと一緒に日本へ行きたいって」

「きっとアントニーは貴女が好きだったんじゃないかな」

「……優しくて、いつも私を守ってくれました。……死んだなんて……一緒に日本へ来たかったのに……」

華音は言葉を詰まらせ泣き崩れた。

《終章》

華音は自分を取り戻したとはいえ、表向きにはまだ中国のチャン・ホンファのままだ。黒木が弁護士に相談しているところへ某スポーツ紙の一面に驚愕の記事が躍った。

『中国による日本人拉致か！』

『第十六回ショパン国際ピアノコンクールの第一位入賞者・チャン・ホンファは日本人だった！』

何気なくしゃべった達彦の言葉からのすっぱ抜き記事だった。

そんな混乱の中、元ＭＴＢ音楽事務所の吉村プロデューサーが黒木を訪ねて来た。

「チャン・ホンファが来宮華音というのは本当なんですか」

いきなりの質問に黒木は返事に困惑した。

「お元気でしたか、その後どうなさっているのか心配していました」

「その節はいろいろと迷惑をかけました。倒産後はそりゃあ大変でした」

名刺を出した。

「今じゃフリーのエージェントとして、関東テレビを手伝ったりしています」

「関東テレビですか」

「新しい音楽事務所との間で何かいざこざがあったらしくてね、また助けてくれないかと相談があって、手伝うことになったんですよ」

「良かったじゃないですか。吉村さんなら音楽業界通だし、ショパン関係だったら日本では第一人者ですからね、頼りにするでしょうよ」

「それで実は、相談ってのはチャン・ホンファのことだが……」

黒木は急に気が重くなった。

「東京で『第十六回ショパン国際ピアノコンクール』の『入賞者ガラ・コンサート』を開くことは最初から決まっていたことなんだけど、肝心の一位入賞のチャン・ホンファだけが捕まっていない。困り果てていたところあの記事でしょう」

「……」

「どうも黒木さんがチャン・ホンファの面倒を見ているらしいことが分かったんで……チャン・ホンファ、いや来宮華音の出演確認をとってもらえないだろうか」

「……ご存じのように、来宮華音はいま拉致問題の渦中にあって、外へ出ることさえ出来ないでいるんです」

「そこんところは良く分かっている。彼女が何かをしでかしたわけじゃないし、むしろ被害者でしょう。それに拘束されている訳でもないんだから出演するのは自由のはずです。入賞者の『ガラ・コンサート』と言うのに二位がいないうえに、一位入賞者の演奏がないなんて観客が許すはずがない。拉致問題のお陰でむしろ世間の注目度は高まっているし、みんなが待っているんだ。……私だって今度のガラ・コンサートに命を賭けている。失敗したら今度こそおしまいだ」

吉村の厳しい立場は良く分かる。だが、華音もまた同じ厳しい立場にある。

「……彼女はいま動揺している状態なので、出る気持ちになれるかどうか」

「そこを黒木さんに何とかしてもらいたいんですよ。私を助けると思って力を貸してくれませんか。来宮華音を動かせるのは今や黒木さんしかいないんだ」

「仮に来宮華音がＯＫしたとしても、渦中にある者が華々しいステージに立って良いことなんですかね」

「良いも悪いもないでしょう。彼女は犯罪者じゃないんだしチャン・ホンファであろうが来宮華音であろうが間違いなく第十六回ショパン国際ピアノコンクールの第一位入賞者なんだ。演奏するのは当然だし、みんなはただ彼女の演奏を聴きたいだけなんだ」

チャン・ホンファを日本に連れてきたのは彼女の命を守るためだったが、記憶が戻った今、やっと来宮華音として心の安寧を手にしたばかりなのだ。

「一応ガラ・コンサートのことは伝えましょう」

「頼む、頼みます！　彼女の出演なしではガラ・コンサートは成立しないんだ！」

吉村はそう繰り返し帰っていった。

ガラ・コンサートが近づくに連れて華音の周辺は一挙に騒がしくなった。マスコミが採りあげるに連れて事態は国際問題にまで発展し、日本の外務省は中国によって巧妙に仕組まれた拉致事件ではないかと調査を始めた。何の罪もない一人の人間を国家のために、また企業利益のために利用する卑劣な行為を黙って見過ごすことが出来るはずがない。

中国政府は直ちに反応し、強硬な姿勢を打ち出した。

『これは日本による陰謀だ！

チャン・ホンファは疑いもなく中国人である。

日本こそチャン・ホンファを拉致し、日本人に仕立てようとしている。

直ちに解放せよ！』

一方、ワルシャワ警察は、コンクールにまつわる贈収賄事件とオルテスやショパン国際空港でのアントニーの殺害事件に中国が絡んでいることを突き止め、本格的に事件の解明に動き出していた。

再会（東京）

黒木は夏恋を連れて成田空港へ車を飛ばした。早く逢いたかった。

ポーランドＴＶ局がアンナとワレサを中心とするにドキュメンタリーの制作スタッフを送り込んできたからだ。『ガラ・コンサート』の取材が表面上の目的だが拉致事件の真相を究明する目的もあった。

「また逢えて嬉しいわ。日本へ来ることになるなんて思ってもいなかった」

アンナが飛びつくように黒木とハグを交わし、

「立場が逆転だな」と黒木はワレサの手を握る。

「全くだ。冗談言ったこともあったが、まさか本当に俺たちが国際的な事件で日本へ来ることになろうとはな。俺は夏恋の元気な顔が見られて日本へ来た甲斐があるよ」

ワレサが夏恋をハグする。

「調子いいわね！　すしやラーメンを存分に食べたいって言ってたくせに」

アンナがワレサの横腹を突く。

「そんなこと言っていたか？」

ワレサが戯け、アンナは真顔になって訊いた。

「華音さん、ガラ・コンサートには出れられるの？」

「問題は本人の意志だ。彼女にしてみれば長い夢から覚めたようなものだから、完全に華音に戻るにはもっと時間が必要だ」

「だろうな。ワルシャワでもコンクール絡みの拉致事件として大きな話題になっている」

「……ところで、ズブロフスキーは捕まったのか」

「それがね、正体だけは、はっきりしたんだけど、まだなの。ポーランド中に手配されているけど行方はさっぱり」

「さすが元ＫＧＢだ、簡単には捕まらないか。長引きそうだな」

「でも警察が全力を挙げているから時間の問題でしょう」

「東京での取材、よろしく頼む」

ワレサが真顔になって言う。

「もちろんだ。ワルシャワでは随分世話になったからね。俺たちもカメラを回すんだがポーランドクルーには夏恋さんをつけることにする、ね夏恋さん」

「おい本当か！」

「毎日と言うわけにはいかないけど、よろしくお願いします」と夏恋。

「いやー素晴らしい！　夏恋が付いてくれるならアンナは黒木に渡すよ」

「馬鹿いわない！　ワレサはわたしがいなければ何も出来ないくせに、直ぐ調子に乗るんだから」

「夏恋はあくまでアシスタントだ。正式なスタッフは必要に応じて関東テレビから出してもらうように頼んである」

「ありがたいわ。兎に角、来宮華音のガラ・コンサートでの演奏と拉致に関連する周辺の状況を追いたいの」

「僕たちも同じだ。お互いに協力してやっていこう」

「助かるわ。頑張りましょう」

「中国には狙われるかも知れないから、注意して取材することだな。日本は治安は良いと聞いているが、ショパン空港のようなことが起きないとも限らない」

ワレサに脅かされ、アンナが身震いの真似をする。

翌日、黒木はカメラマンの中原とポーランドクルーを連れて成城に向かった。このところ来宮家への出入りは控えめにしていたが、アンナたちの申し出を断る訳にはいかない。

来宮家のリビングで撮影が始まった。ワレサと中原がカメラを回し、アンナと黒木によるインタビューという変則的な取材だ。

華音がピアノを弾き終えたところで、アンナがインタビューを始めた。

「華音さんは、ショパン空港でのことは憶えていますか？」

「憶えています」

「チャン・ホンファとして？」アンナが華音の顔色を伺う。

「そう、そう言うことになるのかしら」

華音も笑みを浮かべる。

「チャン・ホンファだった頃と来宮華音に戻った後では何か違いがありますか？」

「今の自分とは全く別人だった……」

「と言うのは？」

「チャン・ホンファの頃は感覚が研ぎ澄まされ、音も色も何もかも全てがシャープに突き刺さってくるようでした。……なんだか体中に気力がみなぎっていて、毎日がピアノを弾く喜びで満たされていました」

「……毎日が、気分が高揚してハイの状態だったということですね」

アンナはスポーツ選手の薬物使用を思い浮かべた。音楽の世界にも同じようなことがあるのだろうか。

「現在はどうですか？」

「なんだか緊張が解けて来たような気がします」

「体調が悪くなったと言うことは？」

「一時期めまいがしたり、だるさを感じたことはありましたが、いつの間にか普段の状態に戻ったようです」

「ショパンコンクールの『入賞者、ガラ・コンサート』が開催されることになっているのはご存じですよね」

「……」

「あなたは一位入賞者なんですから、もちろん出演されますよね」

吉村が何度も懇願した言葉だ。

「……出演されるときはチャン・ホンファとしてですか？……日本人の来宮華音としてですか？」

華音は困惑したように黙って下を向いた。黒木がやんわりと間に入った。

「入賞したのはチャン・ホンファですが、今ではチャン・ホンファは来宮華音だと誰もが知っています」

「……」

「拉致問題で、この先いろいろなことに巻き込まれることになるかも知れませんが、あなたがコンクールの一位入賞者であることには変わりはありません。……むしろ拉致によって人権を踏みにじった国家にたいして、堂々と日本人を名乗って演奏するべきだと私は思いますが」

黒木が意見を述べると夏恋までが口を挟んだ。

「そうよ華音ちゃん、出なければだめよ。出て素晴らしい演奏を披露して、決して拉致などあってはならないことを訴えるべきよ」

夏恋までが華音の手を取って力強く言う。

「わたしは一人のピアニストに過ぎないから、これ以上大きな問題に巻き込まれるのは……」

「分かります。芸術の世界に政治が介入することはあってはならないことです。でも、現実にあなたの身の上に起きていることは人道上決して許されないことです。政治的なことは必ず国が解決してくれるでしょう。あなたは純粋に一人のピアニストとして演奏をすれば良いのではないですか」

黒木はアンナに変わって華音の目を見つめて言いきった。

日中間が混沌としてゆく中で『ガラ・コンサート』は刻々と迫っていった。

吉村がまた黒木を訪ねてきた。

「来宮華音は、うんと言ってくれたかな」

「悩んでいるようですが、前向きに考えるようになっています。大丈夫でしょう」

「そうかーいやー、その言葉を聞いてほっとした。なにしろコンサートの要だからね。兎に角よろしく頼みます」

吉村は深く頭を下げる。

「コンサート前に彼女と一度会えないかな。関東テレビは勿論だが主催者の意向もあるし」

「それは……なにしろ外へ出ることも難しい状態ですから」

「こちらから、自宅へでも何処へでも行きます」

「マスコミの目もありますが、警察から不要な外出は控えるように言い渡されているので」

「信じない訳じゃないけど、万が一ドタキャンなんてことがあったら命とりになる」

「演奏するのは『ピアノ協奏曲第二番』でいいんですよね？」

「まぁそうだが、念のため本人にも確認しておく必要がある」

「伝えておきますよ」

「……分かった。くどいけど確認だけは間違いなくやっておいてください。音合わせリハなど細かい予定については追って報せます。それに十分な警護つきで迎えに行くから、そう伝えておいて下さい」

『拉致から生還したピアニスト！』

『ショパンコンクール第一位入賞者、来宮華音、出演！』

マスコミの煽りもあってガラ・コンサート会場はごった返していた。立ち見席も売り切れ、ダフ屋が横行。華音は厳重な警備に守られて楽屋へ入った。

コンサートの収録は関東テレビが当たり、特別にドキュメンタリー班としてポーランドTVが二階正面に、黒木はたちは二階袖の右端にカメラを据えた。

超満員の聴衆が見守る中、六位から演奏が始まった。五、四、三位とピアノソロが続き、最後に来宮華音の演奏となる。二位がないため三位が終わったところで十五分の休憩となった。オーケストラのセットアップが必要だからだ。

ワレサはカメラの傍にアンナを残して外へ出た。小さなモニターをじっと覗いていると疲れが溜まる。大きくのびをしたところへ同じく出てきた黒木が近づいた。

「変わったことはないか」

「ない。コンサートの収録なんて何時もこんなもんさ。退屈すぎるくらいさ」

黒木は「だよな」と同じ思いで笑った。

「東京は国際都市だけあって外国人も多いな、今日だって相当入っている」

「アジア系はもっと多い。しゃべっている言葉を聞かなきゃ日本人かどうかも分からないくらいだ」

「お前たちがそうなんだから俺たちにはさっぱりだ」

ぐだぐだ話している内に十五分はあっという間に過ぎた。

開始のアナウンスで二人はお互いに手を挙げてホールへ入った。

その頃楽屋通路ではノースリーブで薄いピンクのドレスを着た華音が出番を待っていた。珍しく緊張しているようだった。夏恋が近づいて全身をチェックする。

「華音ちゃん、綺麗よ。ショパンが待っているわ」

華音はにっこり微笑を返すと指揮者に促されてステージへ上がっていった。

会場に唸るような大きな拍手が沸き起った。

華音は観客に向かって深々と礼をすると、おもむろにピアノに近づき椅子に座った。

会場が水を打ったように静まりかえり、序奏が始まる。

全カメラの目が演奏する華音の姿に照準を合わせる。中原は瞑想するように演奏する華音の表情をアップで捉えている。

消え入るようなピアニッシモで第三楽章が始まった。

――そうだ、あれは第三楽章が始まった直後だった。

黒木は、椅子から崩れ落ちた華音のシーンを思い出した。続いて、来宮家でビデオを観て気を失って倒れた姿がフラッシュした。「二度あることは三度ある！」そんな声が聞こえたような気がした。

慌てて黒木は満員の客席を見渡した。薄暗く微動だにしない客席に、立ったり座ったりと変な動きをする人物を見つけた。胸騒ぎがした。

「どうしたんですか？」

中原が囁くように言う。

「ちょっと貸せ！」

黒木は中原からカメラを奪うと、左手の二階客席に向けてズームアップした。

「見憶えないか！」

中原と代わる。

「だれですか？」

「壁際に立っている外人の男だ。ズブロフスキーに似ていないか」

「ズブロフスキー？……」

「そうだ！　きっと奴だ！　このまま回し続けろ！」

黒木は急ぎレシーバーでアンナを呼んだ。

「アンナ、あれはズブロフスキーではないか！」

「え！」

ワレサがアンナの指示でカメラを向ける。

「……奴だ！」

「そうだろう。間違いないよな」

「違いない！」

「何かやらかすつもりだ。監視を続けろ。俺は警察に連絡する」

黒木が、客席を這うようにして扉へ向かおうとした時、

「カノン！　危ない！逃げろーッ！」

ワレサの絶叫する声が響き渡った。

会場が騒然となった。

二発の銃声がした。

鋭いピアノの音が天井を突き破り、同時に華音が膝をつくように崩れ落ちた。

オーケストラメンバーが散るように両袖へ走り、観客が叫びながら扉へ向かって走る。

黒木は中原を促すとワレサと共に階段を駆け下り、ステージに向かって走った。

観客席にいた秋子、夏恋、達彦が駆け寄る。

「華音！　華音！しっかりしろ！」

達彦が抱き起こして叫ぶ。

「華音ちゃん！」

「早く、救急車！」

華音に駆け寄ったワレサの腕を黒木が掴む。

「ワレサ、奴はまだ会場にいるぞ！」

「そうだ！　カメラは回し続けろ！」

二人は混乱する観客を押し分けるようにしてロビーを走った。


黒木とワレサがズブロフスキーを発見できず病院に駆け込んだ時には、華音の手術が終わり、病室へ運び込まれた後だった。

「どうなんだ？」

「……」

「……」誰もが言葉を失っている。

黒木はベッドの脇で泣き濡れている夏恋の肩にそっと手をかけた。達彦がその腕を掴んだ。

「あんたが無理やりコンサートに連れ出したからこんなことになったんだ！　やっと元の自分を取り戻したばっかりだったのに……」

「……」

「コンサートなんかどうでも良かったんだ！　出なければこんなことにはなっていない！」

言葉もない黒木をはね除けると今度は傍にいた吉村の襟首を掴んだ。

「あんたが無理を言ったんだろう！　そうだろう！」

「コンサートは止める訳にはいかなかったんです」

「入賞したのはチャン・ホンファで華音じゃない！」

「……私だってコンサートに命をかけていたんです。……私だって生きるすべを失ってしまったんですよ！」

「それはあんたの勝手だ！」

会社をつぶし、起死回生のつもりで手がけたコンサートが失敗ともなれば、吉村も死の淵に立たされたのも同然だった。

「二人ともここで騒ぐのは止めてください！　出て行って！」

叫ぶ秋子を見て夏恋がみんなを廊下へ促した。

「それで……華音さんの状態はどうなの」黒木が訊いた。

「右脚を貫通していたらしいの……だから……歩くことは出来なくなるかも知れないって」

涙をこらえる夏恋を黒木がそっと抱き留めた。

「だから言ったろ！　コンサートなんかに出なきゃ良かったんだって！」

また達彦が声を荒げた。


翌日の新聞は、コンサート会場という衆人環視の中で狙撃が行われたことへの驚きと、犯人逃走の記事で埋め尽くされた。

朝早くから病院近くにあるカフェにみんなが集まった。

「ズブロフスキーは一体どこへ消えたんだ。あれほど厳しい捜査陣をかいくぐって逃げるとはとても信じられない」

「本当にズブロフスキーだったんだろうか」

「間違いないわよ」アンナが自信ありげに言う。

「あの時の様子は撮っていますから確認しますか」と中原。

「そうだ、今ここで見られるか」

「カメラのモニターで良ければ」

「頼む」

中原がカメラをとりだし、みんなが小さなモニターにかじり付く。

「もう一度」

目を凝らしながら黒木がリピートさせる。

「ズブロフスキーの奥に誰か居ないか」

「誰かって？」

ワレサが乗り出す。

「大きなモニターじゃないと無理だな。そうだ店のを使わせてもらおう」

黒木が店の主人に話を付け、中原が準備をする。

４６インチの大画面でえ見ると、二人の男が同じ格好で動いている。

「手前は……、間違いなくズブロフスキーよ」とアンナが言えば、

「俺もそう思う」とワレサ。

「手前はそうだとしても……じゃ奥の小さい奴は誰だ」

「重なっているが、二人ともピストルを構えていないか？」

「え？本当か！」

ワレサが驚く。

「ということは……一発目が鍵盤に当たった……」

「犯人は二人だとしても、あの厳重な包囲網をどうやって逃げる」

考え込んでいた黒木が立ち上がった。

「オーケストラメンバーだ！　メンバーには外国人もいただろう」

「うん、十人は下らない」とワレサ。

「メンバーはみんな楽屋に固まっていたし一緒に開放された筈だ」

「しかし、メンバーだって見慣れない奴がいたら気付くだろう」

「あの恐怖の中で他人のことまで考える余裕なんてないよ」

「それもそうだな。……とは言え二人は一体どこへ消えた」

日本とポーランドクルーが同乗した関東テレビのロケ車が成城へ向かったとき、一台の車が後を付けていた。乗っていたのは二人の男、つまりズブロフスキーと中国人チンムーだった。チンムーは日本で麻薬の密売人として暗躍している中国マフィアのひとりで、拳銃の名手だ。勿論、目的はガラ・コンサート前に裏切り者の華音を抹殺することにあった。ズブロフスキーにとっては自分の仕事をずたずたにした華音への報復であり、華楽公社、いや中国公安部からの指示でもあった。ポーランドTVの取材斑が日本へ入国したと言う情報は既に公安部から知らされていた。彼らが来宮華音と接触するのは明確であり、不案内の東京で闇雲に捜しまわるより、彼らをマークする方が得策だと考えた。もともと指名手配されているズブロフスキーとしては派手な動きは出来ない。静かに潜行し使命を果たして汚名を回復する。でなければズブロフスキーとて最早生き残る道はない。

黒木たちが来宮家へ入るのを見届けると、近くの林の中に車を止めた。静かでほとんど人の気配もなく、時折車が通りすぎるに過ぎない。しばらくしてピアノの音が聞こえてきた。華音が演奏するショパンの『幻想即興曲』である。

ズブロフスキーは周囲を伺うと後部座席からライフル銃を取り出した。

「ボス、ここでやるんですか」

「……」

黙ったまま、ズブロフスキーは布で丁寧に銃身を拭き終わるとサイレンサーを取り付け、構えてみる。その時、周囲を警戒していたチンムーが、

「ボス、パトロールカーです！」

ズブロフスキーは慌ててライフルを布でくるみながら車を走らせるように促した。

パトロールカーは不審な動きに気づいていた。

「やばいぞ！」

ズブロフスキーの反応は素早かった。兎に角大通りへ出れば撒くことは可能だ。パトカーのサイレンが後を追跡する。飛ばすことには慣れているが、東京がこんなに広いとは思ってもいなかった。

「どこか路地へ入れ！」

サイレンが重なり合って近づいてくる。

「車を捨てて逃げるんだ！」

ショッピンセンターの駐車場に走り込むと、二人は銃を持って路地を走り抜け、そして大通りへ出ると、平静を装いタクシーを拾った。


華音のいる場所がわかり、何度か仕留めるチャンスを窺ったが、以外にも警備が堅く、姿を見ることすら出来ずにコンサート当日になってしまった。危険すぎる行動だが、もうコンサートに照準を合わせるしかない。コンサートには必ず華音が姿を現すはずだ。二人はダフ屋に大枚をはたいて難なく

ホールに侵入することができた。一発で仕留める位置を探したが、自由席はほとんど満席に近く、やっとステージ中央のピアノを俯瞰できる二階左手の壁際に潜り込んだ。拳銃はヴァイオリンのケースの中にある。ライフルに比べ確率は落ちるが至近距離からなら捉える自信があった。

タイミングは第三楽章に入りオーケストラが最高潮に達する瞬間だ。ただ、仕留めるには前席の客の頭が邪魔なため、前乗りしなければならないのが問題だった。ズブロフスキーは何度か伸び上がって華音を狙う姿勢を繰り返した。

何も知らず、華音は酔いしれたように演奏を続けている。

——さあ、全霊を傾けて演奏するが良い。これがお前の最後のコンサートだ。もうすぐお前が愛して止まないショパンの元へ送ってやろう。ショパンの元で永遠に演奏を続けるが良い。

ズブロフスキーは何度も呟きながら、心の中で華音に照準を合わせた。

華音の指からほとばしる美しい旋律が、ズブロフスキーの冷めた心にも進入してくる。何て素晴らしい演奏だ。あまりにも美しい旋律に、もう少し、もう少しと待っている内に第二楽章が終わりに近づく。ズブロフスキーは決心が揺らぎそうで強く頭を振った。

——俺は何のためにここにいる。そうだお前の命を頂くためだ。

第三楽章に入った。

拳銃を手にズブロフスキーは立ち上がった。

今だ！

だがその時、ワレサの絶叫が突き刺さった。

ズブロフスキーは一瞬怯んだが、指は引き金を引いていた。追いかけるようにチンムーの拳銃が火を噴いた。

ズブロフスキーは華音が倒れるのを見届けると、素早くチンムーを促して通路へ飛び出し、スタッフ通用口へ走った。だが通用口にはパトカーが走り込んだところだった。二人は引き返し地下倉庫へ潜り込んだ。薄暗い中に舞台に用いる平台や衝立、破れたティンパニーなど古い楽器類が無造作に置かれている。二人は衣装ケースらしいボックスの後ろにかがみ込んで様子を伺った。

「これじゃ恐らく外へは鼠一匹出られないぞ」

「どうします！」

「騒動が収まるまでこのボックスの中に隠れていろ。俺はこっちに隠れる。良いな、俺が合図をするまでじっとしているんだ」

「俺は閉鎖恐怖症で、息が詰まると咳が出る」

「心配するな、これを飲んで目を閉じろ。一分もしないうちに眠くなる」

チンムーは疑いもなくズブロフスキーの手から白い錠剤をつまむと口に投げ込んだ。

「おい、来るぞ！」

ズブロフスキーは小柄なチンムーをボックスに押し込めると蓋を閉め、自分はヴァイオリンケースを脇に、階上の様子を伺いながら楽屋への石段を上がりはじめた。

階段口まで楽団員が溢れ、女性ヴァイオリニストたちが抱き合うようにして震えている。ズブロフスキーは何食わぬ顔をして混乱するメンバーに紛れ込んだ。

ピストルを持った国際手配の犯人とあって機動隊が出動し、楽屋、控え室、トイレ、舞台裏の隅々まで調べていく。だが犯人らしい姿は見つからない。最後に地下室を調べていた隊員がボックスの下が濡れているのに気が付いた。蓋を開けると男が転がり出た。

「いたぞーっ！」

男はぴくとも動かず、口から泡を吹いている。

「死んでいる！」

懐から拳銃が見つかった。

関東テレビ局の会議室は重い空気に包まれていた。

「ショパンコンクールには関東テレビ賞まで設けて協賛してきたのに、今回の事件でガラ・コンサートの番組も放送出来なくなってしまった。どうやってこの問題を乗り切っていくかだ」

番組編成局長を始め関係スタッフは頭を抱え込んでいた。

沈黙を破って黒木が重い声を発した。

「いっそドキュメンタリー番組として採り上げたらどうですか。今回の狙撃事件は、ショパンコンクールに絡む拉致事件と深く繋がっており、最早単なる音楽番組の域を超えています。何故このような事態になったのか、狙撃が何故起きたのか、徹底的に追求して国民に知らせるべきです」

「自社の番組製作の過程で起きた事件を利用して放送したとなれば批判も出るだろう」

「そうでしょうか。今回の事件は単なるガラ・コンサート云々の話ではありません。今も来宮華音は生死の間を彷徨っているんです。仮に、地下室で死んでいた男が銃撃犯人だとしても、中心人物であるはずのズブロフスキーという男はまだ捕まっていません。事件が解決したわけではないんです。何より重要なのは、この事件は中国による拉致事件に端を発していると言うことです」

「そう話を広げるな。コンサートで来宮が銃撃され、犯人の中国人が死んだことは一つの重大なニュースに違いないが、君が言うように事件の根っこが拉致問題ということになれば、もう国際的な外交問題と言うことになる。それに拉致されたという本人が日本に戻っているんじゃ話は簡単じゃない。番組企画の趣旨からしても違いすぎだ」

「じゃ黙って見ていろと言うんですか」

「そうは言っていない。我々が手掛けているのは音楽番組なんだ。事件に深入りすることは自粛するべきだ」

終幕と旅立ち

華音は点滴のチューブに繋がれ、ベットに横になったままだ。右脚はギブスでこてこてに固められている。達彦はそんな痛々しい華音の姿を見詰めながら、腹の底から怒りが込み上げてくる。やっと手の届くところまで引き寄せた華音との幸せな生活を、あの男が一瞬にして粉々に砕いてしまった。見つけたら俺が奴の脚を叩き折り、殺してやる！

秋子も夏恋もほとんど付きっきりで、達彦も二日を開けずに見舞いに通った。

二週間経って、華音は痛々しい姿のまま自宅へ戻った。

達彦は華音を成城の家へ送り届けると、幼馴染みで高校生の頃よく遊び回った不良仲間の柴田弦一に会うために新宿へ向かった。柴田は父親が倒産した折りに、取り立てに現れた暴力団の一員でもあったが、結婚して子供が生まれたのを機に足を洗った男だった。

「オー、まだ生きていたか。相変わらずへぼな画を描いているんだろう」

柴田は遠慮なく罵声を投げつける。

「お前こそ足洗ったら、まるでもやしみたいに青白くなっているじゃないか」

「お前ほどじゃない。急に会いたいなんて何だ」

「頼みたいことがある。男を捜している」

「おとこ？　俺は女には顔広いが男はなぁ。で、どんな奴だ？」

「ズブロフスキーって男だ」

「外人野郎か。何処の国の奴だ」

「多分ロシア人だと思う」

「ロシア人、そのロシア人が何をやらかしたんだ。まさか殺しなんてことじゃないだろうな」

「新聞に載っていたろう」

「そんな面倒なもん読むか。それで用件ってのは何だ？」

「そのロシア人を捜している。まだ日本に居る筈だ」

「雲を掴むような話だな、何か特徴があるのか」

達彦はスケッチブックを出すとズブロフスキーの似顔絵を描いて見せた。

「相変わらず下手くそな画だなー。これじゃ探しようはないぞ」

「俺も写真で見ただけだからな」

「お前がよく知らないのに俺に分かるはずがない。それに俺はもう組と縁を切った身だ」

「そこをお前の顔の広いところでなんとかしてくれ。俺は真剣なんだ」

「探してどうする」

「殺す！」

「おい、物騒なこと言うな、俺だってまだ殺しはやってないぞ」

「俺が最も大切にしてきたものを、すべて台無しにした奴だ。殺しても飽き足らない」

「堅気のお前がそこまで言うんだから相当なことだとは思うが……」

「犯人の一人は死んだ中国人だ。恐らく中国マフィアと繋がっていると思うんだ」

「中国マフィアか……」


二日後に柴田から電話が入った。

「おい、最近、中国大使館に頻繁に出入りしているズビローとか、なんとか言う新顔のロシア人がいるそうだ」

「ズブロフスキーか？」

「舌噛みそうで良く分からん、中国大使館に出入りしている奴からの情報だ」

「信用出来るんだろうな」

「知らん、その先は自分で調べろ」

「分かった。とりあえず感謝する」

「とりあえずとはなんだ。取り敢えず六本木界隈を探ってみろ。余り深入りするな、中国マフィアは怖いぞ。じゃぁな」

電話はあっさり切れた。

達彦はスケッチブックを持って直ぐさま六本木へ飛んだ。兎に角話半分だとしても張り込んで見る価値はある。中国大使館近くの交差点でスケッチをしている風を装った。外国人は多いがズブロフスキーらしい人物は一向に現れない。

翌日も出かけた。

正午過ぎた頃だった。信号待ちをしている中に一人の外国人を見つけた。サングラスをかけているが風貌からして写真で見た男に似ている。男は伏し目がちに周囲を気にしながら交差点を渡ると人気の少ない細い通りへと入っていく。迷うことなく歩いていくところを見ると、何度も行き来しているようだ。付けていくと大きな白い建物を回り込んで玄関へ消えた。

「中国大使館だ！」

ズブロフスキーが中国の華楽公社と繋がっていることは何度か聞いている。とすれば中国大使館と関係があってもおかしくはない。だがそれだけで今の男がズブロフスキーと断定するには自信がない。もし本当なら今直ぐにでも刺し殺したいところだが、もし違っていたら……。達彦は急に自信を失って黒木に電話を入れた。

夕方になって黒木は中原を伴って、アンナたちと六本木に集結した。

黒木から電話が入った時、アンナたちは東京の風情を探って歩いていた。定番の浅草、上野、新宿、渋谷、そして銀座。どこも外国人が多いのには驚きだった。

「どうして達彦さんが一人でズブロフスキーを追ったりしているんですか」

黒木は会うと真っ先に疑問を正した。

「それは……」

まさか殺すためとは言えない。

「本当にズブロフスキーなのか？」ワレサは半信半疑だ。

「自信がないから、来てもらったんです」

「奴は必ず変装しているはずだ」

「兎に角張り込もう。大使館から出てくるのを待って、確認できたら警察に通報する」

「直ぐ動いてくれるかな」

「本物だったら国際手配の犯人だぞ、放っとけるか」

みんなは大使館が見える通りの一軒のカフェに入った。

何人もの出入りはあるが東洋人ばかりだ。

「まさか裏口から逃げたってことはないよな」とワレサが言えば、

「俺たちが待ち伏せしているなんて知らないんだぞ、そこまで気を回すか」と黒木。

「もうすぐ閉館のはずです。必ず出てくると思います」

達彦の推察通り、五時を過ぎると大使館員がぞろぞろと帰り始めた。

「来た！　あいつです！」

達彦が興奮気味に指さす。

ズブロフスキーらしき男は、中年の中国人と話しながらカフェの前を通り過ぎた。

五人は急いで二人の後に続いた。地下鉄の六本木駅の方へ向かっていたが左折すると居酒屋へ入った。

「おい、一杯やる気か、勘弁してくれよ。こっちだって喉乾いているんだから、な、黒木」

「ワレサはいつだって乾いているじゃない」とアンナ。

「俺たちも入るか」

「馬鹿言わないで。私たちはみんな顔を覚えられているのよ」

「まだ、奴だと判明した訳じゃない」

「こんな狭い店じゃ直ぐにばれてしまう」

「じゃ、どうします」達彦が落ち着かない。

「こんなところに立っているのも目立つ。とりあえず僕が見張るから君たちは隣の店に入っていて」

黒木一人が残った。

二十分位経った頃、首まで入れ墨をした中国人らしい男が入っていった。明らかにヤクザらしい風貌だ。男が入って十分も経たないうちに、三人が揃って出てくると六本木駅の方へ向かう。黒木はアンナに合図を送り、その後を追った。地下鉄の駅に着くと入れ墨の男ともう一人の男は階段を下りて行き、ズブロフスキーらしい男は通りがかったタクシーを止めた。

「まずい！　早くタクシーを！」

アンナが車を捕まえると急いで乗り込む。

「前のタクシーを追ってくれ！」

若い運転手は言われるままに走らせる。

「どちらまでですか？」

「分からない、前の車を見失わないように頼む」

「ひょっとして刑事さんですか？」

「ま、そう言うことです」

「まかしといてください。この分じゃ犯人は新宿方面ですね。……何の事件ですか？　私は刑事ドラマが大好きなんですよ。外人さんも警察の人ですか。と言うことは国際犯罪？　最近は外国人が増えましたからね。私も一度殺されそうになったことがありますよ」

運転手は調子に乗ってしゃべり続ける。車は神宮外苑を斜めに通り抜け甲州街道へと出る。

「やっぱり新宿方面ですよこれは」

運転手は馬券でも当てたように自慢する。予想通りにタクシーは新宿南口から西口へ出てプラザホテルの前で止まった。

「ここへ泊まっているのか」と黒木が呟くが、男はホテルには入らず都庁方面の地下道を歩き始めた。

五人は慌ててタクシーを降りると後を追った。

「いいか俺が背後からズブロフスキーの名前を呼ぶ。振り向いたら間違いなく奴だ」

「わかった」

ワレサは追いついて後ろから低い声で、

「ズブロフスキー……」と呼んだ。

男はびくっとして振り向いた。その反応は明らかに本人であることを示していた。

ワレサが追い越しざまに腕を掴むと、ズブロフスキーは振り切って逃げ出した。真っ向から射す西日の光に向かって、人混みを掻き分けながら走りきると、大通りに架かる歩道橋を駆け上がり西口公園へと逃げる。黒木とワレサが必死に後を追う。ズブロフスキーはナイアガラの滝まで来ると一瞬途惑って周囲を見回したが、滝の背後の茂みを目指して走った。二人が挟み撃ちするように追うと、ズブロフスキーは行き場を失って公衆トイレに逃げ込んだ。

「僕が入ります！」

「待って！　奴はピストルを持っているかも知れない！」

黒木が達彦を制する。

「もう逃げられない。警察が来るまでこのまま待つんだ！」

パトカーのサイレンが集まり、次第に公園全体が包囲されていく。

「ズブロフスキー出てこい！　完全に抱囲されている！」

ワレサがありったけの大声で怒鳴る。警官隊が集まってくる。

「奴は中です」

「あなたたちは下がっていてください！」

警官隊がじわじわと迫まっていく。その時、銃声がして一人が倒れた。

「銃を持っているぞ！」

すっかり暗くなった公園は街灯と公衆トイレの明かりが漏れているだけだ。ヘルメットを被り防弾チョッキに盾を持った機動隊員が、次第に抱囲網を狭めていく。

中原がカメラを回し続ける。

膠着したまま一時間が経った。

「……おい、出てくるぞ！」

ズブロフスキーは観念したのか公衆トイレから姿を現して仁王立ちになった。

「撃つな！　逮捕する！」

ズブロフスキーはゆっくりと歩を確かめるように移動を始めた。

冷酷極まりない悪事を働いてきたズブロフスキーが簡単に手を挙げるはずがない。機動隊員がじわじわと抱囲網を狭めていく。ズブロフスキーはカラフルにライトアップされたナイアガラの滝の前まで来ると立ち止まった。

「どうするつもりだ……」

全員が固唾をのんで見守る。

右手に拳銃を構えるとゆっくりと上げ始めた。

「発砲したら撃て！」

ズブロフスキーはゆっくりと上げた銃口を自分のこめかみに当てた。

「止めろーっ！」

同時に銃声が響きズブロフスキーはがっくりと膝をつくように崩れ落ちた。

陰で人を操り、華音の人生を翻弄させた極悪非道な男の最後だった。一つの事件があっけない幕引きで終わった。だが、これで全てが解決した訳ではない。


二日後に、アンナたちがポーランドへ帰るというので、みんなが成城へ集まった。

アンナたちが東京へ着いた時にはまだ肌寒かったのに、もう早咲きの桜のつぼみが膨らんでいる。

まだベッドから起きれない華音を気遣って、みんなは庭の白いテーブルを囲んだ。

「もうすぐ桜の花が咲くのね。残念だわ、満開の桜を見たかった」

アンナが桜の枝を見上げながら残念がる。

「だから、もう少し居たらいいのに、ねえ」

と夏恋がワレサの顔を覗き込む。

「そうだ、黒木、俺を日本のテレビ局で雇ってくれないか」

「何言っているの、私だってもっと居たいわよ！」

アンナがむきになる。

「だろう、だったらせめて桜が満開になるまでいよう」

「もう三週間以上になるのよ。いつまで日本に居る気かって、ボスから大目玉よ。ワルシャワへ戻ったら、まだ取材しなければならないことも山ほどあるんだし」

「日本と言えば桜だよ。撮らなくて良いの」と黒木がそそのかす。

「ほんとに止めてよ！　素敵な日本の風景もいっぱい撮れたし、幸い華音さんが元気になった姿も撮れたからきっと素晴らしい番組が出来ると思うわ」

「我々が撮ったビデオもコピーして送るよ」

「有り難いわ。私たちの分も自由に使えるように局には話を付けるから」

「僕はフリーランサーだから、テレビ局のように大きなことは出来ないけど、なんとか続ける方法を見つけるよ。ズブロフスキーが死んだからって拉致問題が解決した訳ではないからね、黙って放っておくわけにはいかない」

「そうよ。ワルシャワへ戻ったら華音さんが拉致されたことを証明できる人物を捜すわ」

「ぜひ見つけて」と夏恋。

「オルテス、アントニー、ズブロフスキーと重要人物がみんな死んでしまったけど、きっと誰か見つかるわよ」

アンナの声に応えるように美しいピアノの音が聞こえてきた。みんながはっとして聴き耳を立てる。ショパンの『ノクターン第二十番嬰ハ短調』だ。

「華音さんだ！」

全員が急いで家の中へ入る。

華音が車椅子のままピアノを演奏している。

鍵盤の上を白い指が軽やかに舞う。ぎこちないが左足がペダルを踏む。

「よかったわね華音ちゃん、またピアノが弾けて……」

寄り添う秋子の目には涙が溢れだし、周りに集まったみんなも感動のあまり涙を浮かべて見守った。

「ゴドフスキー先生に逢いたい……ショパンを愛し、演奏する本当の喜びを教えてくれたのが先生だった……」

演奏しながらつぶやく華音の言葉に黒木はハッと我に返った。

「そうだ、ゴドフスキー教授だ！　ゴドフスキー教授なら全てを話してくれるかも知れない。華音さんを見いだし、世界的な優れた演奏家に育てたい一心で手を染めたはずだ」

「教授は華音が拉致されていたことは知っていたのかしら」

アンナが瞳を輝かせ、ワレサが黒木の肩を叩く。

「黒木、一緒にワルシャワへ行って教授に会おう！」

「そうしよう。私がポーランドＴＶのスタッフとして黒木を受け入れるように話を付けるわ」

「頼む、一緒に拉致事件の真実を明らかにして全世界に向かって訴えるんだ！」

「そうして黒木さん！　華音ちゃんの哀しみを無駄にしないで」

訴える夏恋の横で、華音の手からあふれ出すピアノの音がみんなを包み込んでいく。

「黒木さん、私があなたの活動の全てを支援します」

秋子が涙声で宣言した。

それからひと月後、黒木は国際線の出発ロビーにいた。

華音と達彦が見送りに来た。

ワルシャワのフレデリック・ショパン国際空港ではポーランドTVのアンナとワレサが待っているはずだ。是非ともゴドフスキー教授に会わなければならない。そして、その証言を元に、純粋に音楽を愛する一人のピアニストが受けた非人道的暴挙を、全世界に向かって訴えるのだ。恐らく中国は華音が既に日本へ帰還していることを楯に、日本のでっち上げた陰謀だと反論するだろう。だが『中国によるピアニスト拉致事件』は来宮華音の身の上に起きた紛れもない事実なのだ。

そう言えば、事件に関わっていたと思われる調律師蒼井洋一も、未だ行方不明のままだ。

黒木は窓外を流れる真っ白い雲を眺めながら、心が奮い立つのを憶えた。

「華音ちゃんが黒木さんに伝えてって言ったの。脚を失っても決してピアノは諦めない。例え車椅子に座ってもピアノを弾き続けるからって」

別れ際に耳元で力強く言った夏恋の言葉が蘇ってきた。

右脚のペダル操作は、補助具の装着で解決できると専門家は言っていた。ピアノ事故に始まり、中国に拉致され、脚を奪われた義憤が華音の心に火を付けたのに違いない。

蒼空の下に真っ白な雲海が広がっている。

その遠くから雷鳴の如き拍手の波が押し寄せ、車椅子の華音がステージに現れてピアノを弾き始める。曲はショパンの『ノクターン第二十番嬰ハ短調』だ。

黒木は雲海に響き渡るピアノの音を聴きながら、華音の可能性を信じ、自らの人生までも懸けてしまったゴドフスキー教授の姿を思い浮かべた。

（完）

《参考資料等》

●雑誌「ショパン」昭和六十年十二月No.23（株）東京音楽社
［特集］第十一回ショパン国際ピアノコンクール
●ムジカノーヴァ別冊「激闘ショパンコンクール」音楽之友社
第十四回ショパンコンクール完全レポート
●雑誌「ショパン」二〇〇五年No.263（株）ショパン
第十五回ショパン国際ピアノコンクール全ドキュメント
●「音楽の友」二〇〇五年No.12 音楽之友社
［特集］ショパンとショパン・コンクール
●雑誌「ショパン」二〇一五年No.383 音楽之友社
［特集］新時代のスター、誕生
第十七回ショパン国際ピアノコンクール優勝チョ・ソンジン
●「ショパン」ショパンとその故郷
（安川加寿子・ユゼス・カンスキ著）恒文社
●音楽の手帖「ピアノとピアニスト」青土社
●「コンクールでお会いしましょう」中村紘子　中央公論新社

●作曲家・人と作品シリーズ「ショパン」小坂裕子　音楽之友社
●ドキュメント「ショパン・コンクール」佐藤泰一　春秋社
●「若者たちのあこがれと現実」青柳いずみこ　中公新書
●地球の歩き方「チェコ　ポーランド　スロヴァキア」ダイヤモンド社
●ショパンコンクール放送番組等、第十五、十六、十七回

三本松 稔（さんぼんまつ・みのる）

１９３６年、熊本県天草市生まれ。日本大学芸術学部映画学科卒。フリーランサーとして映画、テレビ、展示映像などの企画、脚本、監督。音楽、美術番組などを多く手がけ現在は小説など執筆に専念。著書「猫に生まれたかった」「伊豆の岬に白い花の咲くとき」など。

ショパンの陰謀

2021 年 11 月 30 日　初版第 1 刷印刷
2021 年 12 月 22 日　初版第 1 刷発行

著　者　三本松 稔
発行者　恩蔵良治

発行所　壮神社（Sojinsha）
〒 102-0093 東京都千代田区平河町 2-2-1-2F